LA GRAPHOLOGIE PRATIQUE

Dépôt légal 1er trimestre 2000

ISBN 2-84462-055-8

AXIOME ÉDITIONS
83, avenue André Morizet
92100 Boulogne, France

Imprimé et broché en France par SAGIM

LA GRAPHOLOGIE PRATIQUE

Connaître la personnalité des autres par l'analyse de son écriture

GÉRARD DOUAT

SOMMAIRE

AVANT-PROPOS . . . . *p. 9*

UNE MÉTHODE CLASSIQUE . . . . *p. 11*

L'APPROCHE PAR LE SYMBOLISME . . . . *p. 83*

LE SYMBOLISME PLANÉTAIRE ET LES CARACTÈRES . . . . . . *p. 95*

AVANT-PROPOS

Ce livre est destiné aux personnes désireuses d'entreprendre des études de graphologie. Elle n'est pas une science mais une technique. Comment pourrait-on la considérer autrement puisqu'elle ne fait appel à aucune mesure ni à aucunes données quantitatives?

Les détracteurs de la Graphologie ne manquent pas de le souligner; ils ont raison mais ils ont tort de s'en tenir là car l'absence d'éléments chiffrés n'interdit pas l'approche expérimentale. Il est vrai que les protocoles statistiques sont plutôt rares en la matière. Il n'empêche qu'il est tout à fait possible de parvenir à l'établissement d'une observation générale après avoir rassemblé une quantité d'un certain groupe de signes graphiques et élaboré l'existence d'une corrélation entre ces signes et une disposition de caractère.

Par ailleurs, comment peut-on nier que la main étant guidée par le cerveau, les gestes dessinés reflètent tout ce qui a été emmagasiné par celui-ci? Comme il n'appartient pas au graphologue d'apporter une démonstration de physiologie pour le prouver nous nous garderons de céder à cette tentation mais nous recommandons au lecteur curieux de compléter son information sur ce point capital.

Le sérieux des pratiques graphologiques

De toutes façons, une idée de simple bon sens doit venir à l'esprit de toute personne qui s'interroge sur le sérieux des pratiques graphologiques. Chacun d'entre nous a appris à former ses lettres de la même façon durant l'enfance, mais aucun individu n'a la même écriture lorsqu'il parvient à l'âge adulte. C'est dire à quel point le caractère et la personnalité impriment à chaque graphisme un sceau personnel et presque toujours reconnaissable entre tous. Le lecteur ne manquera pas de remarquer que ce sujet est développé au cours de notre premier chapitre à propos du niveau général. Celui-ci peut très bien être décelé. D'ailleurs, la graphologie a fait de tels progrès depuis quelque quarante ans grâce à l'application de diverses méthodes qu'il est très possible à un scripteur de révéler l'étendue de sa culture et ses principales dispositions de caractère.

Typologie du Dr Carton Typologie planétaire

Que le lecteur rationnel n'ait aucun dédain envers cette approche. L'utilisation du symbolisme traditionnel des planètes n'a rien de commun avec la pensée magique. L'auteur de ce livre ne cesse de combattre tout ce qui peut ressembler à un occultisme de pacotille et à toute affirmation non fondée sur l'expérience ni sur une tradition.

UNE MÉTHODE CLASSIQUE

I. L'APPRÉCIATION DU NIVEAU

N'en déplaise aux fervents de l'égalitarisme, il y a des personnes plus intelligentes que d'autres. Il faut s'y résigner et surtout ne pas introduire sournoisement des notions politiques dans des domaines où elles n'ont pas leur place. Mais comme l'idée de niveau est ambiguë nous allons serrer la question de plus près.

La question de niveau

Demandons-nous d'abord si la question de niveau n'est liée qu'à l'ampleur et à la qualité des aptitudes intellectuelles. Dans l'esprit du public il est certain que c'est bien ainsi qu'est entendue la notion de niveau.
Si l'on s'en tient à cette définition, précisons tout de suite que la graphologie est tout à fait capable de déterminer le degré d'intelligence et de culture d'un candidat.
D'ailleurs, même aux yeux d'un lecteur qui ne pratique pas cette technique, il est facile de deviner grossièrement si l'écriture appartient à quelqu'un de cultivé ou non.

Pour le moment, je travaille avec un
consultant proche de chez moi assez
régulièrement mais le recrutement ne
représente pas le plus fort de son activité,
j'ai un autre client en province, enfin
tout cela démarre assez lentement.

Bien qu'il nous reste encore quelques petits
travaux à faire pour achever notre ins-
tallation, le plus important est terminé et
nous permet de vivre convenablement.
Grâce aux Jésuites nous sommes beaucoup mieux installés que l'an dernier.
Reims et sa montagne nous ont agré-
ablement surpris, mais il est vrai que
la Touraine nous laisse quelques souve-

Chez moi, on parle surtout de
départs en vacances. Les passages de classe
les BEPC, un bac n'ont pas posé de
problèmes. Nos guadeloupéens sont venus en
"métropole" quelques semaines : pour se changer
les idées, ils vont à Saint Véran le plus haut
village des Alpes et d'Europe ! ..

Fig. 1: Écritures organisées.

Bien qu'elles soient très différentes,
elles dénotent l'équilibre. Les formes sont très structurées et il n'y a pas de disproportion entre les zones supérieures, inférieures et médianes. Les trois sont harmonieuses.

Le visage d'une brute ne ressemble pas à celui de quelqu'un de fin et sensible. Il en est de même de l'écriture. Il est vrai que les évidences les plus flagrantes sont contestées par ceux qui croient déchoir en ayant les idées claires. Mais le vrai graphologue ne peut pas se contenter d'impression ou d'intuition. Il doit recourir à des méthodes d'investigation fondées sur l'expérience et il est largement démontré que l'écriture des personnes dites intelligentes présente des constantes indiscutables. Lorsque quelqu'un a une certaine cohérence dans la pensée et que sa conduite révèle un bon équilibre son graphisme est comme sa vie : il a un minimum *d'organisation* (fig. *1)*.

C'est pourquoi l'une des premières conditions d'un bon niveau est décelée par le fait de posséder une écriture dite organisée, c'est-à-dire sans discordances, sans disproportions ni irrégularités criantes ou tremblements ; en deux mots : solide et suffisamment *structurée (fig. 2)*.

des cours avec des professeurs privés afin
de consolider les connaissances que j'avais
pu acquérir jusqu'à présent. Depuis le
mois de Novembre, je me suis mise à
la recherche d'une clientèle privée.
Pour le moment, je travaille avec un
consultant proche de chez moi assez

Fig. 2: Écriture simplifiée.
Observez les hampes dépouillées de leur boucle.

La deuxième condition est très simple mais essentielle et ne peut en aucun cas être absente: *la clarté (fig. 3).*
Un esprit clair est-il supérieur? Non, mais un esprit supérieur n'est jamais confus. Il faut dire sans cesse, que la clarté d'esprit est une grâce du Ciel assez rare. Les écrivains profonds et qui ont dit des vérités intemporelles sont toujours clairs. Tout ce qui est fumeux est inutilisable et les esprits brouillons se trompent ou cherchent à tromper.

Je suis libre de suite pour cause
de licenciement économique.
En espérant avoir une reponse
favorable.
Veuillez agréer, Madame, mes salutations
distinguées.

Si vous voulez accepter mes offres de service, je vous assure de
faire le maximum d'effort pour vous donner entière satisfaction
dans l'exercice de mes fonctions
Espérant de recevoir, par retour du courrier, votre décision
généreuse et favorable à ma demande d'emploi, je vous prie,
d'agréer, Monsieur le Directeur, l'expression de mes sentiments
bien dévoués

Je cherche à changer d'emploi afin d'ac-
céder à un poste où l'on suit entièrement la
compétitivité des entreprises. L'emploi que vous
proposez correspond exactement à ce que je recherche.
Je vous remets ci-joint mon curriculum

Fig. 3: Écritures de niveau d'instruction générale faible.
Remarquez la désorganisation de celle du bas. L'écriture située au-dessus de celle du bas est harmonieuse mais non supérieure.

Ce n'est malheureusement pas tout. Pour faire preuve d'un bon niveau d'esprit il faut savoir aller à l'essentiel et ne pas s'empêtrer dans des détails oiseux. En d 'autres termes il convient d'élaguer à chaque instant de notre esprit les considérations parasitaires et dégager toujours le principal du secondaire. Cette précieuse disposition de l'esprit se traduit par une simplification du graphisme et donc une élimination de certaines des lettres. Mais attention! Cette simplification n'a de valeur que si elle n'altère en rien la clarté et si elle n'entraîne aucune hésitation dans l'identification du mot et des lettres.
Cette simplification ne signifie nullement que l'écriture de bon niveau ressemble à celle des normes scolaires. En réalité, si un scripteur adulte n'a pas su s'affranchir de la rigidité des signes appris durant l'enfance, il prouve par là même qu'il n'a acquis que peu de connaissances et n'a découvert ou redécouvert aucune vérité par lui-même.

Une écriture de bon niveau

Une écriture de bon niveau est *fidèle aux signes appris* mais elle est marquée par une empreinte très *personnelle*. Pourquoi? Parce que celui qui prétend rejeter tout ce que lui ont appris ses parents ou ses éducateurs n'est qu'un insensé mais celui qui n'a pas d'autres idées que celles qui lui ont été inspirées est totalement dépourvu de personnalité.
Nous voici donc en présence de trois conditions mais elles ne sont pas encore suffisantes pour établir une opinion. L'une des caractéristiques de l'intelligence est d'être capable d'établir des rapports entre les faits ou les idées, des relations de cause à effet, de deviner des liens ou au contraire de fuir toute analogie artificielle ou toute comparaison baroque.
Comme nous venons de voir qu'il n'y a pas d'écriture de qualité sans cachet personnel identifiable entre tous il est certain que les liens plus ou moins adroits et originaux tracés entre

deux lettres successives ou non ou entre un accent et une lettre placée avant ou après révéleront la qualité de l'intelligence, de la personnalité et de la culture générale (fig. 4).

Fig. 4: Écriture de haut niveau et harmonieuse.
Légère désorganisation due aux atteintes de l'âge.

Ce sont ces rapports graphiques habiles que l'on dénomme: *combinaisons*. Cette découverte est due à celui qui fut et reste l'un des principaux créateurs de la graphologie: Crépieux-Jamin.

Les graphologues allemands ont introduit une autre condition de qualité, c'est celle de rythme. Ce mot est synonyme de cadence en français mais en graphologie une écriture cadencée a quelque chose d'un peu rigide et d'automatique, en tout cas manque de souplesse et de mouvement.

Or, à quoi serviraient les aptitudes intellectuelles si celui qui

les possède ne les met pas au service de sa propre vie? Un homme de qualité ne peut pas avoir une attitude ou une pensée statique et il met ses connaissances et son jugement au service de l'action.
Faut-il rappeler que les mystiques tels que Sainte Thérèse d'Avila ou Ignace de Loyola furent avant tout des créateurs? Faut-il souligner que si les médecins biologistes n'étudiaient la vie des bactéries ou des virus que pour le simple plaisir de la recherche, ce genre d'occupations n'aurait aucun sens.
Les graphologues allemands ont toujours insisté sur la valeur du mouvement et du rythme. Ce mot désigne la particularité d'une écriture souple et pleine de vie mais fidèle à ses propres irrégularités *(fig. 5)*.

à travers l'étude de l'écriture,
des choses que je percevais
sur la nature humaine.
Car, c'est cela qui m'intéresse
La graphologie est, pour moi,
un moyen supplémentaire
de capter une personne afin
de mieux la comprendre et
aussi de mieux me comprendre.
("Connais toi toi-même"! ...)

[illegible]

Fig. 5: Mouvement et rythme dans ces deux écritures.

La graphologie française, elle, reste attachée à juste titre à la notion d'harmonie. Il est certain que c'est une condition essentielle de qualité. Les raisons sont nombreuses et simples. Contrairement à ce que prétendent quelques esprits faux, l'harmonie n'est pas une notion objective. Dans toutes les civilisations, l'expression architecturale respecte un certain nombre de proportions. Le *nombre d'or* fut appliqué dans l'édification de monuments élevés par des peuples de nature et de religion différentes.

Il se trouve que la partie supérieure des lettres évoque le domaine intellectuel de notre être, la zone médiane notre affectivité et la zone inférieure les instincts et l'action. Comment peut-on être équilibré s'il n'y a pas en chacun de nous un bon dosage d'intelligence, de sentiments et de besoin d'action? *(fig. 6).*

Monsieur le Directeur Général,

J'ai l'honneur de présenter ma
candidature à un emploi dans votre
institution

Veuillez agréer, Monsieur, le directeur Général,
l'expression de mes sentiments distingués.

Malgré mes nombreux appels téléphoniques
et mes besoins désormais majeurs de
récupérer cet argent, votre fils n'envisa-
ge absolument pas de me rembourser.

[illegible] a beaucoup apprécié en particulier la
2e partie "permanence et [illegible]" où est exprimée
de façon simple une psychologie courante. Par
exemple j'y trouve la différence entre l'émotivité
et la sensibilité que j'avais "découverte" par
expérience, sans en avoir jamais trouvé de confirmation

Me référant à votre annonce publiée dans le récent hebdomadaire
, je serais heureuse de venir respectueusement
me présenter comme candidate au poste restant vacant dans vos
services de comptabilité
je joins, par la présente, mon CURRICULUM VITAE vous donnant

Fig. 6 Écritures de niveau intellectuel différent
mais ayant toutes en commun un bon équilibre entre les hampes, les jambages et la zone médiane.

L'homme qui ne s'intéresse qu'aux abstractions risque fort de passer à côté de la vie même. Celui ou celle qui n'a de jugements qu'affectifs sera injuste et celui qui ne fait que céder à ses instincts ressemble fort à un sauvage. Il est donc bien entendu qu'une écriture de qualité ne peut être qu'harmonieuse. Mais comme toutes les conditions précédentes doivent être réunies pour révéler une personnalité de valeur il ne faut pas voir dans l'harmonie un simple respect des proportions. L'écriture dite harmonieuse est agréable à regarder mais elle n'est pas figée dans une esthétique académique. Une jolie femme n'a pas forcément le nez grec et les belles phrases de la littérature ne sont pas seulement celles où les règles de grammaire sont respectées.
Une écriture dite harmonieuse n'a donc pas de brusques altérations ni dans la dimension des trois zones, ni dans le mouvement d'allure, ni dans la pression. Il est bien entendu qu'un scripteur qui a de l'harmonie dans son écriture n'est pas nécessairement quelqu'un de supérieur mais il y a fort à parier que l'on est en présence de quelqu'un d'équilibré.

Nous voici donc en possession de quelques conditions essentielles pour savoir si telle ou telle personne est à la fois intelligente - nous verrons plus tard comment déceler la nature de son intelligence - instruite ou cultivée et maîtresse d'elle-même. Si elle réunit les conditions d'organisation, de clarté, de simplification, de rythme, de combinaisons et de proportions, nous avons affaire à quelqu'un d'exceptionnel. La meilleure preuve c'est que la conjonction de tous ces aspects graphiques est fort rare!

II. L'ORDONNANCE

Définition

Que faut-il entendre par ce mot qui fait partie de la terminologie classique? L'ordonnance révèle la façon dont le scripteur a utilisé l'espace mis à sa disposition sur la feuille. En d'autres termes, elle caractérise l'emploi plus ou moins judicieux, rationnel et harmonieux de la page. Il va de soi que l'observation s'applique aussi à l'espace de l'enveloppe. C'est pourquoi les adjectifs qui concernent l'ordonnance - ce que les graphologues désignent sous le nom d'espèces - sont les suivants: écriture dite ordonnée ou désordonnée, espacée, aérée, condensée, envahissante, enchevêtrée.
On comprend aisément que l'ordonnance est déjà une bonne indication sur les aptitudes à l'organisation, à la clarté d'esprit et à la façon d'utiliser ce qui est à notre disposition.
Bien entendu - et c'est une recommandation capitale que nous ferons à plusieurs reprises - l'examen de la seule ordonnance ne suffit pas à adopter une conclusion. En aucun cas il ne faut affirmer l'existence ou l'absence d'un trait de caractère à partir d'un seul aspect graphique. C'est l'observation des genres tels que ordonnance, dimension, inclinaison, etc., associée à l'étude des espèces qui permet de se prononcer sur une personnalité.
Cette remarque fait d'ailleurs partie de cette très ancienne exigence scientifique: *ne jamais tirer une conclusion générale ou une loi d'ensemble à partir d'un fait particulier ou d'une observation isolée.*

L'écriture ordonnée

C'est une écriture qui suggère l'idée que le scripteur adopte un fil conducteur et établit son écrit avec méthode et clarté. L'écriture ne va pas dans tous les sens et les paragraphes sont correctement disposés.

Je suis à la recherche d'un premier emploi de graphologue ; des vacations me con-
-viendraient bien pour commencer, mais je ne sais où orienter mes recherches.
Je serais prête à étudier toute proposi-
-tion et peut-être, auriez-vous la gentillesse de me donner quelques conseils ou de m'indiquer quelques pistes à suivre.
Vous remerciant par avance pour l'attention que vous voudrez bien porter à

Fig. 7: Écriture ordonnée.

L'écriture confuse

[illegible]

Fig. 8: Écriture confuse.

C'est une écriture qui n'est pas toujours parfaitement lisible, soit parce que les lettres ne sont pas identifiables à coup sûr, soit parce que les mots sont trop proches les uns des autres, soit encore parce que le graphisme ne coule pas et paraît au contraire stagner comme une mare boueuse. Il va sans dire que l'écriture confuse et désordonnée augure mal de la clarté d'esprit d'un scripteur.
Si l'on cherche sinon un organisateur, du moins quelqu'un qui sait organiser ses propres tâches, c'est une présomption défavorable.
Malheureusement, rien n'est simple en l'homme et il faut nous arrêter sur ce point afin d'être très prudents dans toutes nos appréciations. Certaines personnes sont capables de présenter une lettre de demande d'emploi de façon très ordonnée - notamment parce qu'elles ont été préparées à cela - ce qui ne les empêche pas d'avoir l'esprit confus. Comment faire donc pour passer à des conclusions pertinentes? Simplement: réunir toutes les observations possibles autres que celles concernant l'ordonnance pour confirmer ou infléchir la première impression.

L'écriture espacée

Il s'agit simplement de l'écriture qui laisse un espace exagéré et anormal entre les mots et entre les lignes. Le contraire est ce que l'on désigne sous le nom d'écriture serrée *(fig. 10)*.
La première appartient aux personnes qui ont de légères difficultés de communication avec autrui. Elles ne sont pas à l'aise en n'importe quel milieu et ont tendance à s'isoler. Les raisons peuvent être variées et multiples. Il peut s'agir de la crainte du jugement d'autrui ou bien d'une sorte de hautain isolement. Dans ce dernier cas, le graphisme peut être vertical et anguleux.
En toute hypothèse nous avons affaire à quelqu'un qui n'a pas d'effusions à l'égard d'autrui.

Cette mission, que
j'effectue depuis le 29 octobre,
et pour une durée de trois
semaines environ, m'intéresse
beaucoup et je ne suis guère
dépaysé ici c'est à vous
que je le dois, et de
nouveau je vous remercie

Fig. 9: Écriture espacée. *Grands blancs entre les mots.*

L'écriture serrée

Arrivée à mon échéance de stage et dans un
souci d'évolution je pense sincèrement que le
poste proposé correspond tout à fait à mon attente
Ayant déjà une expérience dans ce domaine j'ose
espérer que ma candidature retiendra votre attention

Fig. 10: Écriture serrée. *A ne pas confondre avec l'écriture étrécie.*

L'écriture serrée présente l'aspect contraire tout au moins pour les espacements entre les mots. Ils sont frileusement les uns à côté des autres avec des "blancs" réduits au minimum. Dans ce cas, nous sommes en présence de quelqu'un qui

recherche autrui non pas forcément par goût des contacts et de la chaleur humaine mais parce qu'il se sent dépendant des autres.
Dans l'écriture serrée il y a une recherche de protection, un besoin de soutien moral. Il y a peu de chances de trouver un caractère entreprenant et combatif à partir de cette écriture surtout si elle manque de mouvement, de vie et d'aisance, ce qui est souvent le cas.

L'écriture aérée

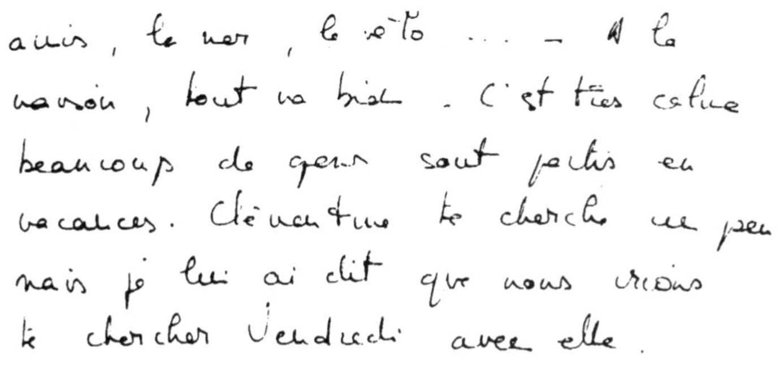

Fig. 11. Écriture aérée.

C'est l'écriture dont les espaces entre les lignes et les mots ne heurtent pas la vue. Bien qu'il n'y ait guère de données quantitatives en graphologie, disons, pour fixer les idées, qu'il y a 3 à 4 millimètres entre chaque mot et au moins autant entre deux lignes, mais ce ne sont là que des approximations. Dans l'écriture dite aérée, l'air y circule et il n'y a aucun mélange de signes entre la ligne du haut et celle du bas.
Cette écriture entraîne une appréciation positive quant à la clarté d'esprit et à la droiture des intentions.
De toutes façons, nous ne dirons jamais assez que *tout graphisme désagréable à regarder et peu clair fait peser une suspicion sur la sûreté de jugement* du scripteur.

L'écriture envahissante

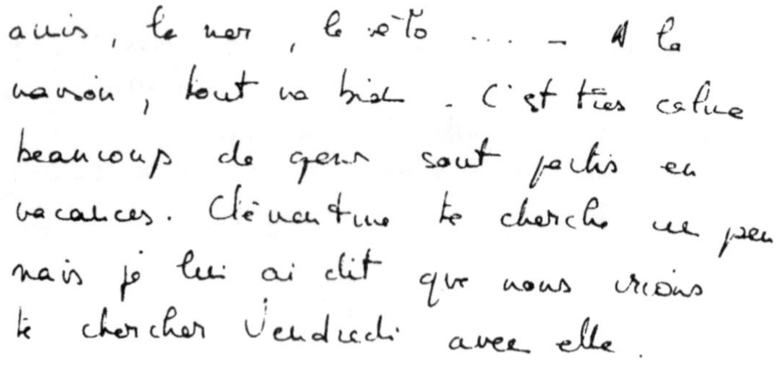

Fig. 12. Écriture envahissante.

Il s'agit de l'écriture qui ne laisse plus que très peu de place aux blancs, notamment par l'occupation des marges. Le scripteur paraît avoir voulu utiliser tout l'espace mis à sa disposition.
Ce type d'écriture ne peut être jugée qu'en fonction de plusieurs autres éléments - les genres et les espèces - notamment la dimension et la vitesse.

Si un scripteur a une écriture à la fois envahissante et grande, il faut y voir un besoin de se faire remarquer mais aussi un penchant à donner de soi et donc à gaspiller ses forces. Les personnes qui écrivent ainsi peuvent être enclines à l'esbroufe ou à la générosité, c'est pourquoi il convient d'examiner le niveau général avant de se prononcer.
De toutes façons, ce ne sont pas des scripteurs de grande concentration mentale. Ils réagissent beaucoup plus par le sentiment que par la raison.

L'écriture enchevêtrée

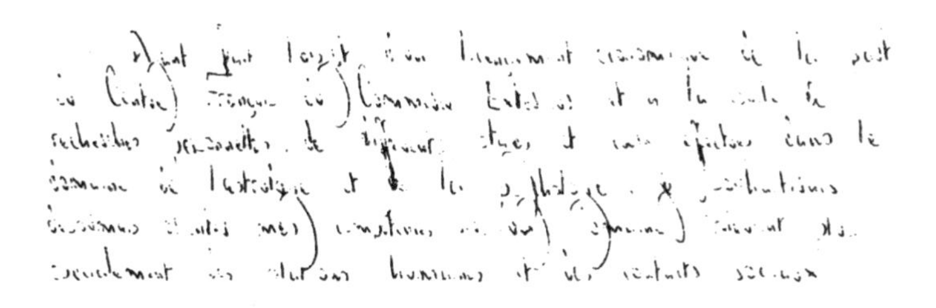

Fig. 13. Écriture enchevêtrée

Facile à déceler puisqu'elle se traduit par un mélange disgracieux des jambages de la ligne du haut avec les hampes de la ligne du bas, c'est une variante de l'écriture confuse, et donc entraîne un mauvais pronostic quant à la clarté d'esprit et le réalisme des jugements. Dans ce cas nous avons affaire à quelqu'un de tourmenté qui ne parvient pas à faire plier ses sentiments ou ses passions devant les faits. C'est un indice de partialité et de manque de bon sens pour distinguer ce qui est important de ce qui est secondaire.

Les marges

La marge de gauche est plus ou moins large. Si elle l'est, le scripteur se plie aux conventions de la vie sociale et a su prendre ses distances avec son passé, son éducation et sa famille. Lorsque nous aborderons l'interprétation symbolique nous verrons à quel point l'observation des marges est précieuse.
Pour l'instant, contentons-nous de retenir que si la marge de gauche est dite progressive, c'est-à-dire si la largeur s'accentue à mesure que l'on va vers le bas, le scripteur fait preuve d'un goût de l'action un peu impatient et aussi d'un besoin d'échanges sociaux. C'est un des signes d'ouverture à autrui.

Si au contraire la marge est régressive, c'est-à-dire qu'elle est plus mesquine en bas qu'en haut, le scripteur revient à une méfiance ou à une pusillanimité naturelles.
Si la marge de gauche est verticale et donc régulière, nous sommes en présence de quelqu'un de conventionnel et qui sait s'imposer des contraintes surtout sociales.

La marge de droite ne doit surtout pas être oubliée car elle est aussi révélatrice de certains traits de caractère que la précédente. Si elle est verticale c'est que le scripteur se surveille et donc qu'il manque de naturel. Il y a de *l'artifice* dans ce type de marge. C'est une absence de spontanéité. Mais il y a un autre aspect dans cette marge, c'est l'importance de sa largeur. Le scripteur qui écrit jusqu'au bord droit indique sa constance dans l'effort, sa confiance en son propre avenir et son désir d'aller de l'avant. Celui qui se tient à distance de ce bord droit, révèle un caractère peu entreprenant, plutôt craintif ou simplement prudent et respectueux.

La marge du haut est l'expression d'une déférence classique envers ce qui est traditionnellement considéré comme respectable : la religion, la famille, les habitudes sociales des personnes civilisées.
L'absence de marge du haut évoque la mesquinerie, la ladrerie ou simplement le mauvais goût et le peu d'égards pour autrui.

L'adresse sur les enveloppes

Si l'adresse est nettement écrite sur la partie gauche, gageons que l'on a affaire à quelqu'un de circonspect, de réservé ou même de craintif.
Si elle paraît s'élancer vers la droite, l'adresse révèle un trait de caractère porté à l'expansion, l'ouverture ou l'activité.
D'une façon générale, il convient d'appliquer à la présentation de l'adresse sur l'enveloppe tout ce que l'on sait sur l'inter-

prétation de l'ensemble, et ne jamais oublier que la disposition harmonieuse ou simplement sans extravagance des quelques mots sur l'enveloppe est déjà une preuve de sens des proportions, de bon goût et d'utilisation judicieuse de l'espace.

III. L'INCLINAISON

Chacun d'entre nous a une écriture ou verticale, c'est-à-dire droite, ou inclinée ou penchée de façon plus ou moins prononcée sur la ligne, ou enfin renversée, c'est-à-dire vers la gauche.
Quelle que soit la façon dont nous avons appris à écrire, nous revenons immanquablement à notre nature dès que nous atteignons l'âge de la maturité.
Et voici à quoi sert l'examen de l'inclinaison: nous renseigner sur l'attitude sociale du scripteur non seulement à l'égard de ses semblables mais aussi envers tout ce qui l'entoure. Si l'on veut, c'est un peu le degré non pas d'amour qu'il manifeste mais d'adhésion avec l'entourage.
L'observation de l'inclinaison du mot - et donc des lettres - est très liée à celle de la direction des lignes dont nous parlerons au chapitre suivant.

L'écriture verticale

Cher Monsieur,

N'ayant pu parvenir à vous joindre il m'est agréable de vous proposer une rencontre chez moi au jour qui vous conviendra.

Soyez assez aimable pour me le confirmer

Fig. 14: Écriture verticale ou droite.

Elle est avant tout l'indice d'un caractère un peu fier, peu malléable, difficilement influençable et recherchant l'autonomie mais aussi celui d'une personnalité qui manque d'élan, de goût de la concertation et n'a guère le sens de l'équipe. Bien entendu, cette première remarque doit être tempérée dans un sens ou un autre si l'écriture est ferme et anguleuse. Dans ce cas, le scripteur est volontaire et sans doute épris de justice mais il manque de souplesse et d'indulgence.
Cette écriture appartient aux personnes qui ne veulent pencher - c'est le cas de le dire - ni vers un camp idéologique ni vers un autre mais qui risquent de se complaire dans une sorte d'isolement hautain. Ces scripteurs ne vont pas vers les autres - ce qui ne signifie pas du tout qu'ils manquent de compassion - mais ils attendent que l'on vienne vers eux. En tout cas, leurs dispositions de caractère conviennent assez dans l'exercice d'une fonction où il faut savoir agir seul et où l'on est d'autant plus efficace que l'on dispose de liberté de manœuvre.

L'écriture renversée

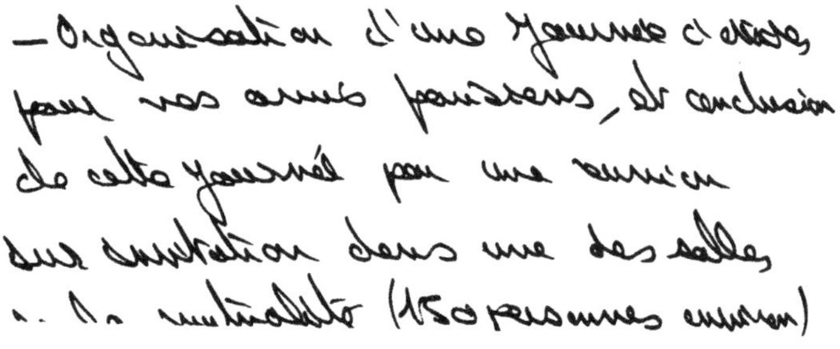

Fig. 15. Écriture renversée.

Elle est celle des scripteurs qui ont une attitude rétive à l'égard des autres et envers la vie. Il y a une sorte de méfiance, de désabusement prématuré ou de crainte en face de l'environnement.

Il va de soi que cette écriture augure mal de l'enthousiasme ou de la pugnacité de ceux qui la détiennent. Les personnes mêmes qui ont cette écriture sont spécialement touchées par ce que nous venons de dire car ce type d'attitudes est très négative chez elles alors qu'il peut être admis chez les adolescents ou les très jeunes filles.

L'écriture inclinée

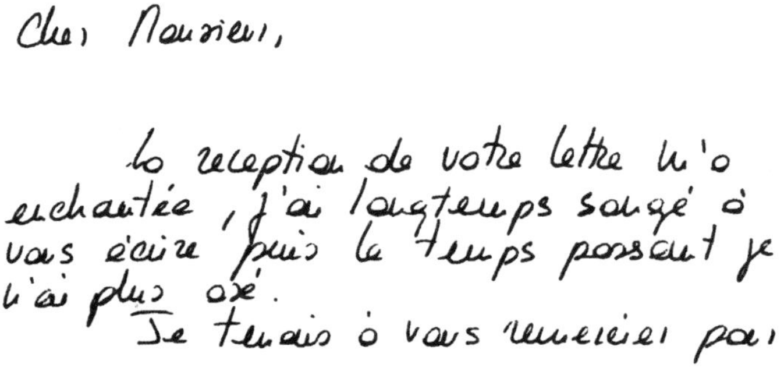

Fig. 16: Écriture inclinée.

Cette façon de faire pencher l'ensemble des lettres de chaque mot vers la droite traduit un intérêt pour la vie et le milieu ambiant mais révèle autant la dépendance du scripteur. Il ne faut surtout pas interpréter ce type d'écriture comme une preuve irréfutable d'élan vers les autres mais seulement comme une présomption de besoin d'échanges. Il peut donc y avoir de la fragilité de caractère et une sensibilité vulnérable chez les porteurs de cette écriture, surtout si d'autres signes sont présents, tels que les irrégularités de dimension ou la sinuosité des lignes. Mais d'une façon générale, l'écriture inclinée révèle le besoin d'ouverture et une bonne disposition à l'adaptation aux différents caractères, donc de sociabilité. Si l'ensemble de l'écrit est d'un niveau général médiocre, il faut dans l'inclinaison de la dépendance et de la passivité.

L'écriture inégale

J'ai déjà exercé en qualité d'employée de bureau et utilisé différents matériels de Traitement de Texte tant pour le courrier que pour les rapports.

Je serais heureuse de vous rencontrer pour vous préciser de vive voix la nature de mon expérience.

Fig. 17: Écriture inégale d'inclinaison.

Elle est déjà un signe d'émotivité mais hâtons-nous de préciser deux choses importantes: l'émotivité n'est pas nécessairement associée à la sensibilité - on peut être émotif sans être sensible mais la réciproque n'est pas vraie - et l'émotivité est aussi souvent un stimulant pour l'action qu'un frein. L'émotion nous fait autant agir qu'elle peut nous inhiber.

La deuxième remarque liée à l'inégalité de l'écriture concerne la variation de l'humeur; nous ne disons pas du caractère. Les inégalités ne font pas conclure à l'instabilité des idées, des intentions ou des projets mais à l'oscillation des états de conscience et à l'indécision. Les personnes dont l'écriture varie d'inclinaison peuvent avoir des difficultés à faire des choix - ce qui est l'indice d'une absence de maturité - et elles manquent encore de cohérence intellectuelle, ce qui entraîne une incohérence dans les sentiments et dans les actes.

IV. LA DIMENSION

L'écriture grande et très grande

Vous m'avez beaucoup appor-
té, j'ai aimé vos cours et
votre façon naturelle d'ensei
gner, car, non seulement
vous enseignez la graphologie.

Fig. 18: Écriture grande à très grande.

Nous voici parvenus à l'un des rares chapitres où l'on peut parler de mesure. Dans notre pays une écriture dite normale a des minuscules d'environ 2 mm et des jambages et des hampes - zone inférieure et supérieure de certaines consonnes telles que le p ou le h - d'une dimension égale à environ 2 fois celle des minuscules. Si celles-ci dépassent 3 mm on dit que l'écriture est grande et très grande au delà de 5 à 6 mm.

Lorsque les hampes ou les jambages sont grands ou très grands, il est d'usage de parler d'écriture prolongée en haut ou en bas.

L'examen de la dimension présente un grand intérêt. Les personnes qui ont une grande écriture peuvent avoir une belle vitalité à dépenser mais aussi ne savoir que la gaspiller et pas toujours à bon escient. Pourtant, quelle que soit l'hypothèse retenue qui aura pris en compte l'intensité de la pression et de l'angularité ainsi que le mouvement d'allure de l'ensemble, la grande dimension trahit le besoin de se faire remarquer. Le scripteur qui a une grande écriture peut aimer la vie et l'action mais il n'admet pas de passer inaperçu. Inutile de préciser que ce trait de caractère peut habiter un être idéaliste et combatif, peut-être même chevaleresque mais aussi bien un personnage plein de faconde et de véhémence stériles. Les hommes qui écrivent ainsi sont parfois des êtres superficiels et légers dont le principal souci est de brasser du vent. Ils manquent donc de finesse et de profondeur, sans parler d'efficacité réelle.

S'il s'agit d'une écriture féminine, il y a quelque chance d'être en présence de quelqu'un qui affecte des grandes démonstrations d'amitié mais dont on s'aperçoit après les premières effusions qu'elles n'ont plus rien à nous dire.

L'écriture petite

espérant que vos problèmes de santé
ne sont plus qu'un mauvais souvenir.
Je ne voudrais pas paraître
importune en renouvelant ma
demande d'analyse graphologique
d'autant plus qu'elle n'a aucun

Fig. 19: Écriture petite.

Elle signifie la disposition à la concentration mentale, à l'attention, parfois aussi à la minutie et, en tout cas à l'économie judicieuse des forces.

Il ne faut tout de même pas s'imaginer - par une sorte de raisonnement par analogie symétrique! - que la petitesse de l'écriture est l'indice d'un faible activité ou de peu d'énergie. Si la pression est ferme et les angles nets, le scripteur d'écriture petite peut être pourvu d'une forte volonté. Il s'en sert avec mesure et pertinence. C'est aussi un homme réservé notamment sur ses sentiments. Il n'est pas nécessairement modeste. C'est d'ailleurs un préjugé qu'il faut combattre: celui qui consiste à croire que tout individu effacé est dépourvu d'orgueil car il n'en est rien. Disons que son arme n'est pas l'esbroufe et qu'il est certainement moins superficiel que notre Tartarin à la grande écriture.

Ce personnage peut exceller dans les travaux de laboratoire. C'est plus un homme de cabinet et de dossiers qu'un homme d'échanges et de terrain. L'action peut être intense mais sans ostentation ni recherche du spectacle.

L'écriture surélevée

C'est avec grand plaisir que je vous retrouverai
car j'apprécie particulièrement vos cours

Bien que très denses, compte tenu de toutes les
matières à intégrer, ils ont toujours été très
vivants, et les exemples pris dans la vie, nous ont

Fig. 20: Écriture surélevée.

C'est l'extension vers le haut de la première partie d'une lettre ou de la première lettre d'un mot.

L'écriture prolongée

Vous présentent leurs meilleurs voeux
pour l'année 1991, et espérons
avoir l'occasion de vous rencontrer
prochainement.
Cordialement.

Fig. 21: Écriture prolongée vers le haut.

L'écriture dite surélevée est identique à l'écriture dite prolongée en haut, c'est-à-dire dont les hampes ont une hauteur de plus de 2 fois celle des minuscules.
Ce type d'écriture est particulière aux personnes ombrageuses et fières. Toutefois, dans un milieu graphique de très bon

niveau il peut s'agir de personnes dont les aspirations morales ou intellectuelles sont élevées.
L'écriture prolongée vers le bas, c'est-à-dire dont les jambages ont le même coefficient d'extension que pour les hampes, traduit un goût pour l'action et tout ce qui est concret et bien tangible.
En revanche, il est très curieux de constater que la simultanéité de ces deux prolongements ne révèle pas du tout la somme des traits positifs mais au contraire une sorte de conflit stérile entre les aspirations plus ou moins chimériques et les réalisations différées. C'est l'écriture de personnes velléitaires et sans efficacité.

L'écriture étalée

ma carte de voeux (!!) je vous prie de
trouver ci-joint 2 documents que
j'ai pu retrouver (!) à ce monsieur que
j'aimerais mieux cerner.

je vous remercie d'avance pour l'analyse
de qualité que vous saurez (comme
d'habitude) faire.

donnez-moi de vos nouvelles, cela me

Fig. 22: Écriture étalée.

Si les consonnes sans hampes ni jambages ainsi que les voyelles ont tendance à se développer dans le sens de la largeur, nous avons affaire à quelqu'un qui a *plus de savoir-faire que de savoir-vivre.* Non seulement le scripteur cherche à prendre de la place au détriment d'autrui mais il est dépourvu de tact et de spiritualité.

L'écriture étrécie

à bien dans une journée en
découvrant ces merveilles qui
touchent le ciel...
Je bénéficie d'un temps
exceptionnel et heureusement
la neige ne manque pas trop.
Je mets donc à profit ces
vacances pour me reposer
avant d'attaquer une

Fig. 23: Écriture étrécie.

Elle a l'aspect contraire de la précédente. Les lettres sont blotties les unes contres les autres comme si elles avaient peur. Dans ce cas, sachons que le scripteur est quelqu'un qui manque d'assurance et n'est pas à l'aise lorsqu'il est en compagnie. Il y a certes de la prudence et de la concentration mentale mais surtout une difficulté à s'épanouir et à être authentique.

L'écriture dilatée

Pourriez-vous être un peu
moins bref dans vos explications
s'il vous plaît j'ai vraiment
du mal à suivre.

Merci

Fig. 24: Écriture dilatée.

Il ne faut pas la confondre avec l'écriture étalée. L'écriture dilatée est grande et ronde. Elle appartient à des scripteurs pleins de bienveillance et très ouverts mais assez dépourvus d'esprit critique. Cette écriture est parfois confondue avec l'écriture gonflée dont les hampes et les jambages paraissent remplis de vent comme une baudruche. C'est un graphisme particulier aux personnes outrecuidantes et qui aiment les satisfactions des sens.

L'écriture basse

Bonne Année à toute la famille. J'espère que tout
se passe bien pour tout votre petit monde.
Pour nous, tout va bien, nous menons une vie bien
agréable que vous connaissez bien
Gros baisers

Fig. 25: Écriture basse.

Elle est l'opposé de l'écriture prolongée en haut et en bas en ce sens que les hampes sont atrophiées, tout comme les jambages. Le d ressemble à un a et l'ensemble paraît tassé et lourd.
Les personnes qui écrivent ainsi ont des soucis très matériels et ne risquent pas de s'évader mentalement vers des chimères. C'est l'écriture de personnes réservées et peu inclines aux démonstrations effusionnelles. Ce ne sont pas des personnes très actives ni très entreprenantes mais elles accomplissent leurs tâches avec sérieux et régularité!

V. LA DIRECTION

L'écriture dextrogyre

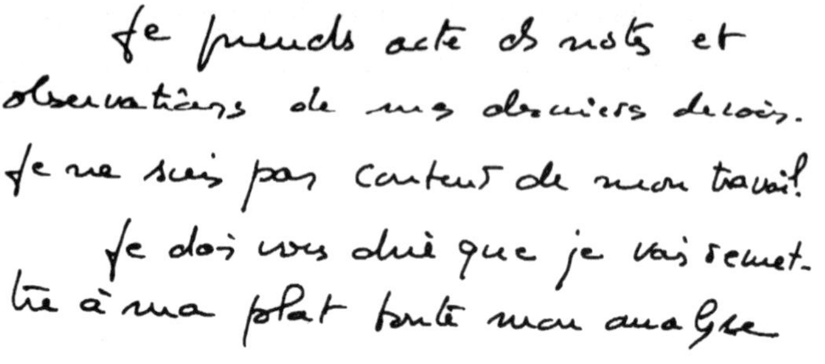

Fig. 26: Écriture dextrogyre.

Il est entendu qu'il s'agit maintenant de la trajectoire générale des lignes et non des lettres. Toute écriture est ou bien orientée vers la droite ou bien dirigée vers la gauche. L'usage a consacré deux termes pour les désigner. Une écriture qui se dirige vers la droite est dite dextrogyre, celle qui va vers la gauche est dite senestrogyre.

L'écriture progressive

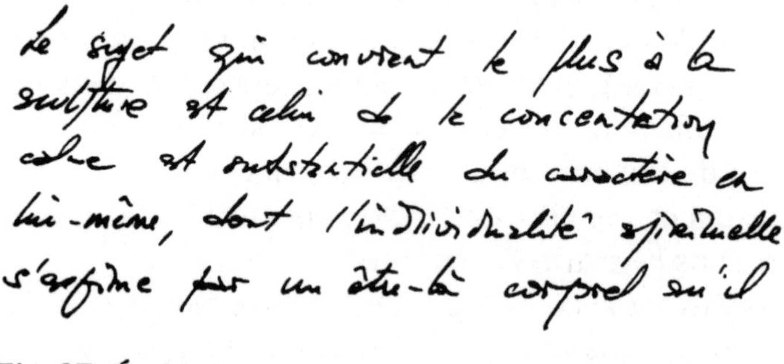

Fig. 27: Écriture progressive.

Le synonyme de dextrogyre est « progressive » encore qu'il entre en cette application une nuance qui n'est pas oiseuse. Une écriture peut être orientée vers la droite et manquer de vie et de mouvement. Elle peut être régulière et même monotone tandis que ce que l'on désigne sous le nom de progressive est à la fois dirigée vers la droite et habitée par un rythme bien vivant.
Dans ce cas, le scripteur est quelqu'un qui n'a pas peur de l'avenir et qui avance, confiant dans la vie. Il y a de fortes chances pour qu'il soit sociable et qu'il ne s'attarde pas à des complaisances pour ses propres états d'âme.

L'écriture senestrogyre ou bien régressive

Fig. 28: Écriture régressive.

L'écriture dite senestrogyre est de mauvais augure, comme son nom l'indique. Cette écriture dénommée régressive dénote une attitude générale faite de réticences, de méfiance et de peu d'allant ni de générosité. La disponibilité et le dévouement de ces personnes sont sujets à caution.
Malheureusement, certains signes de régressivité apparaissent bel et bien dans l'écriture dextrogyre.
Ces signes peuvent avoir l'aspect de crochets, de harpons ou de triangles rageusement tracés à l'occasion du tracé des j ou

des g par exemple. Ils indiquent le goût de l'accaparement ou une tendance à l'autoritarisme négatif ou à un besoin de ruminer sans cesse des griefs à l'encontre de quelqu'un (fig. *29).*

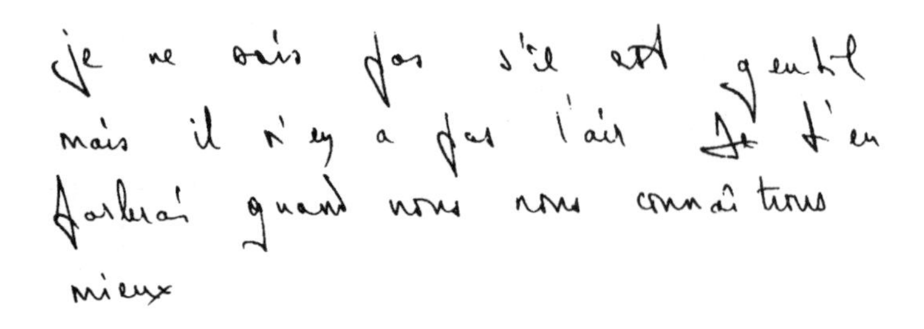

Fig. 29: Écriture avec signes régressifs.

L'écriture montante

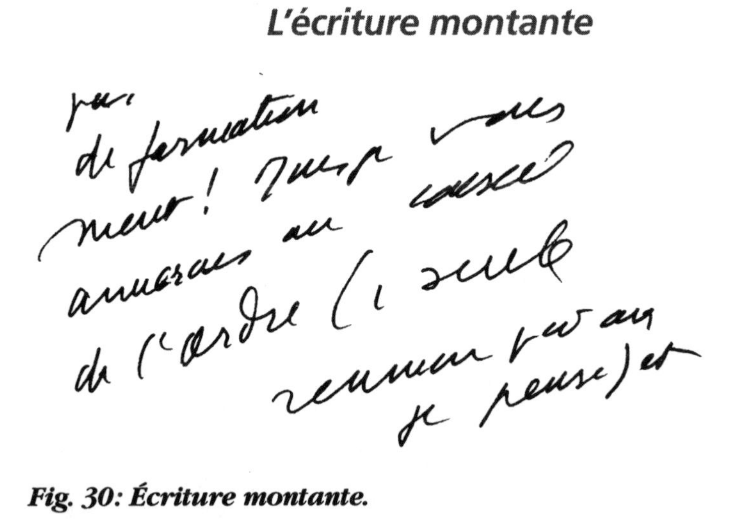

Fig. 30: Écriture montante.

C'est l'écriture qui s'écarte de la ligne réelle ou imaginaire figurant l'horizontale. Elle traduit le goût de l'activité assorti de quelque impatience ainsi qu'un certain enthousiasme. Si l'angle produit par cette écriture et la ligne horizontale fait plus de 35 à 40 degrés nous avons l'écriture dite grimpante qui est celle de personnes un peu exaltées et bouillonnantes.

Elles manquent donc de pondération. Leur façon d'agir est haletante et trop passionnelle.

L'écriture descendante

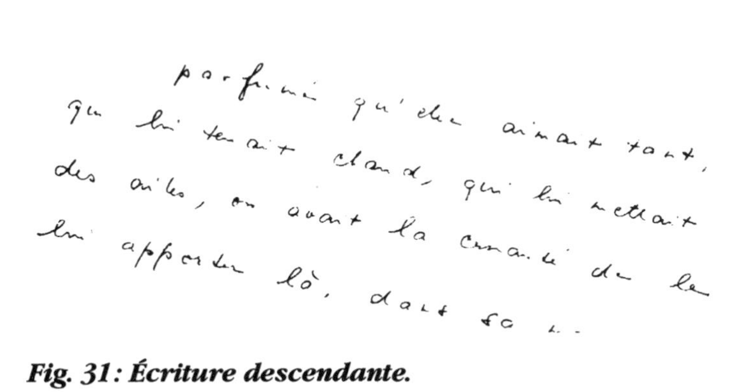

Fig. 31 : Écriture descendante.

Cette écriture révèle une lassitude ou un découragement qui peuvent n'être que passagers. Il ne faut surtout pas parler de dépression qui est une maladie sérieuse et dont la découverte n'appartient qu'aux médecins. Si l'on prend ce terme dans un sens banal et courant de fatigue psychique et physique il suffit de le dire. C'est une écriture que l'on voit sous la plume de personnes âgées ou malades.
Il n'est pas très recommandé d'engager un jeune homme qui aurait ce graphisme pour remplir une fonction qui exige de l'entrain, et toute jeune fille dont le futur mari écrirait systématiquement de cette façon serait avisée de réfléchir encore. Comme de coutume, l'allure générale ne suffit pas : le diagnostic est nettement assombri si la pression est molle et si les lettres paraissent relâchées. Lorsque l'écriture forme un angle de 35 à 40 degrés par rapport à la ligne horizontale dans le sens descendant, il est convenu de désigner cette écriture par l'adjectif plongeante. C'est une aggravation de tout ce que l'on peut dire du caractère de celui dont elle est déjà descendante.

L'écriture concave

de tous. Il est vrai que ces semaines du mois de juillet ont été
changées avec la maladie du Père abbé, la fin des travaux et une
"colonie russe" importante à l'hôtellerie: il y avait la famille de
Sacha avec Vera, la maman d'Ira, et d'autres amis avec leurs deux
enfants: certains jours, nous ne savions plus très bien si le monastère
ne se trouvait pas en Ukraine ou aux environs de Moscou. J'avoue
que cela ne me déplaisait pas du tout...

Fig. 32: Ensemble sinueux. *Concave: 3e ligne à partir du haut; convexe: 5e ligne à partir du haut.*

Il n'est pas rare de trouver une écriture dont les lignes paraissent légèrement creusées. Même s'il n'y en a qu'une, il apparaît que le scripteur connaît des fléchissements de vitalité bien qu'il se ressaisisse immédiatement après.

L'écriture convexe

Si au contraire certaines lignes du texte sont bombées il y a une sorte de volonté permanente d'agir avec courage mais la preuve que la vitalité physique n'est pas à la hauteur de l'énergie psychique. Nous avons là un scripteur qui ne manque pas de volonté mais de robustesse naturelle.

L'écriture sinueuse

L'interprétation de ce type d'écriture est plus difficile car elle peut être celle de caractères fort différents. L'écriture sinueuse - que d'aucuns dénomment serpentine en essayant d'y découvrir une différence - est déjà un indice d'émotivité. Si on l'examine attentivement on constate qu'elle est une simple succes-

sion de convexités et de concavités, c'est donc qu'elle révèle des chutes fugitives et plus ou moins prononcées de vitalité mais que le scripteur trouve sans cesse en lui la volonté de les surmonter. La personne est donc fatigable mais ne manque pas de ressort. Un autre aspect du caractère est à dégager de l'écriture sinueuse non sans avoir auparavant cherché à évaluer le niveau général. Si le milieu graphique est assez élevé, cette écriture est celle de quelqu'un de très souple, d'adroit et qui sait utiliser à son profit la diversité des caractères et la variabilité des circonstances. On a affaire à quelqu'un qui a de l'entregent et qui saura donc se faire des alliés ou au moins éviter les inimitiés.
Si le milieu graphique est médiocre, nous avons affaire à quelqu'un de capricieux, de changeant et de pas très fiable. La variabilité de son humeur et son absence de fermeté liée à son peu de cohérence en font un être en qui il est difficile de mettre une totale confiance.

VI. LA VITESSE

L'un des grands créateurs de la graphologie a tenté de rationaliser à l'aide de quelques chiffres tirés de l'expérience la première impression qu'inspire l'allure d'une écriture. Si l'on tient à mesurer la nôtre, la présence d'une autre personne est nécessaire; c'est elle qui dicte un texte et il suffit de compter le nombre de lettres écrites en quelques minutes pour déterminer si l'on a une écriture lente ou précipitée. Il y a évidemment des moyens plus commodes que nous verrons.

L'écriture lente

cipales les sources principales, dès à présent citées
ici mais pour n'y plus revenir sont : primo les
procès-verbaux des interrogatoires de la police,
secundo l'avocat Me Hubert Bloena au profit
duquel, tertio, le procureur Peter Hach ancien
camarade d'études, compléta de vive voix
— confidentiellement, s'entend — les procès-verbaux
desdits interrogatoires, lui expliquant certaines
mesures prises par le juge d'instruction et lui
expliquant certaines mesures prises par le juge
d'instruction et lui révélant les résultats d'in-

Fig. 33: Écriture lente.

Toute personne qui écrit moins de 80 lettres à la minute a une écriture lente. Dans ce cas il convient de se souvenir que la vitesse de l'écriture est très liée au « cursus » intellectuel du scripteur. Nous ne disons pas que plus quelqu'un est instruit plus son écriture est rapide mais il est certain que l'écriture des personnes qui n'ont pas fait d'études est souvent lente, ne serait-ce que parce qu'elles n'ont pas l'habitude de manier le stylo. A ce propos, nous devons attirer l'attention du lecteur sur la difficulté à évaluer le niveau d'intelligence et d'instruction des personnes qui exercent un métier manuel. Celles-ci peuvent être d'une grande adresse dans le maniement d'outils compliqués et être très gauches dans celui du crayon ou de la plume. Une extrême prudence s'impose donc avant tout diagnostic de l'écriture lente.

L'écriture posée

mais trop peu de temps pour
venir vous embrasser de vive-voix.
Nous vous souhaitons tous
de bonnes fête de fin d'année

Fig. 34: Écriture posée.

Entre 100 et 120 lettres à la minute, on peut dire que l'écriture est posée. Dans ce cas, nous sommes en présence de quelqu'un de pondéré et de prudent. Si la forme est très soignée il s'agit de quelqu'un d'un peu trop soucieux de sa petite personne. Il peut être efficace grâce au soin ou au zèle qu'il met dans sa besogne mais il manque peut-être aussi de souffle et d'énergie. Là encore il ne faut être trop vif dans les appréciations car une écriture posée peut être celle de quelqu'un de très flegmatique et de très volontaire si la pression est ferme et les angles accusés.

L'écriture accélérée

Voici très synthétiquement les nouvelles [illegible] !
Et vous ? comment se présente
cette nouvelle année scolaire ? Sur
une publicité de [illegible], votre nom

Fig. 35: Écriture accélérée.

Nous voici parvenus à un type d'écriture moins rapide que celle que nous désignons sous l'adjectif de rapide ! Le « tempo » du scripteur se situe alors aux environs de 130 à 150 lettres par minute. Elle révèle une réelle célérité dans l'action et sans doute de la vivacité d'esprit.

Bien entendu, lorsqu'elle est examinée, il n'y a aucun moyen de vérifier le nombre de lettres écrites en une minute. C'est pourquoi il est temps d'indiquer quelques moyens de déceler la vitesse.

Tout d'abord, les courbes des lettres sont plus un signe de rapidité que les angles. En deuxième lieu, une écriture accélérée - ou rapide - n'a pas de signes régressifs. En troisième,

l'écriture orientée vers la droite a plus de chances d'être accélérée ou rapide que la verticale et - à fortiori - que l'écriture renversée. En quatrième lieu, si l'on a le sentiment qu'il y a plus de mouvement dans l'ensemble de l'écrit que de souci de la forme il y a des chances pour que ladite écriture soit au moins accélérée.
Enfin, les liaisons d'un point à la lettre suivante ou à une autre lettre, c'est-à-dire des combinaisons pas trop compliquées, la déportation des accents vers la droite au lieu d'être placés juste au-dessus de la lettre et les attaques directes sont autant d'indices d'une certaine rapidité.

L'écriture rapide

dernier souhaiterait un camp où il
pourrait jouer au tennis
Je vous en remercie à l'avance
et vous adresse toutes mes amitiés

Fig. 36: Écriture rapide.

A partir de 150 jusqu'à 180 lettres nous avons devant nous une écriture rapide. Les critères que nous venons d'énoncer sont évidemment les mêmes et le moment est venu de parler encore des traits de caractère liés à la vitesse.
Disons tout de suite que la qualité ou la forme d'intelligence ne peut pas être automatiquement associée à la vitesse. Quiconque écrit vite fait preuve d'un goût pour l'activité - cérébrale ou autre.
Si l'écriture est simplifiée et combinée en même temps qu'accélérée ou rapide, il est certain que le scripteur a une grande facilité d'assimilation, de compréhension en même temps que d'adaptabilité.

Au contraire dans l'écriture posée il y a une attitude un peu statique et souvent de la complaisance à l'égard de soi-même. Si l'écriture lente ou posée est encore très fidèle aux normes scolaires de l'enfance, le scripteur est un être conformiste, sans imagination ni originalité de pensée et sans beaucoup d'ardeur au travail.

L'écriture précipitée

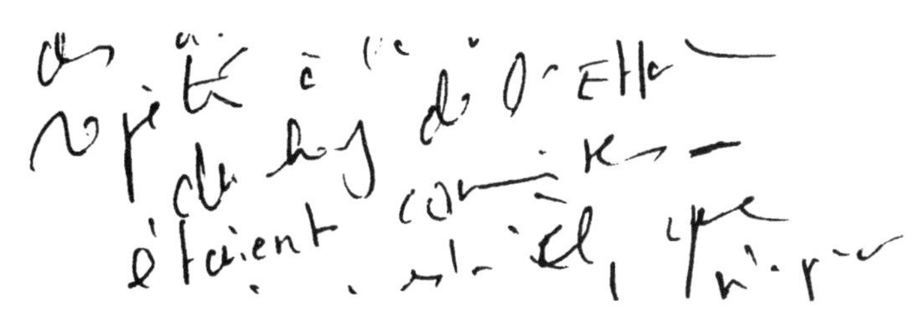

Fig. 37: Écriture précipitée

Lorsque les signes que nous avons précédemment indiqués sont aggravés et que l'ensemble de l'écrit donne l'impression d'être comme fiévreux et impatient, de parvenir au bord droit de la feuille à chaque ligne comme si le scripteur était obsédé par le respect d'un délai, nous avons une écriture précipitée. Dans ce cas, le scripteur pourrait bien être quelqu'un qui manque de sang-froid et de maîtrise de soi.

L'intelligence n'est pas plus vive que chez tout autre et il y a un risque de fausseté dans les jugements portés par le scripteur. Il ne sait pas différer l'adoption d'un point de vue. Il prononce des appréciations à l'emporte-pièce et s'il a une fonction d'échanges, il visite les gens ou les reçoit au pas de charge.

VII. LA FORME

La forme c'est l'aspect individuel de chaque lettre, mais comme le tout n'est pas seulement la somme des parties, c'est aussi l'aspect global du mot.
L'examen de la forme est essentiel car elle révèle des composantes précieuses dans une personnalité : *l'aptitude à se dégager des a priori et des préjugés de toutes sortes ; le bon goût, l'attention de l'esprit, la capacité à voir l'essentiel, l'attitude à l'égard des autres ; le niveau de culture générale.* Voyons donc les principales espèces en détail.

L'écriture scolaire

par votre offre.
Mes aspirations sont de mettre mes aptitudes
au service d'une entreprise qui me permettra de développer
mes ambitions en harmonie avec les siennes et ce, en vue d'une
durable et fructueuse collaboration.

seule ; car il y a aussi une myriade de situations quotidiennes
i font monter la pression. Ce sont les transports bondés aux heures
pointe (placés dans des conditions comparables en laboratoire,
rats, on le sait, deviennent agressifs) un feu qui passe au rouge,

Fig. 38: Écritures scolaires.

Parfois dénommée calligraphiée, c'est le graphisme des personnes qui reproduisent fidèlement les signes tels qu'ils leur ont été enseignés. La simple lecture des chapitres précédents a déjà fait comprendre que si un adulte continue à écrire de la même façon qu'à douze ans il est probable qu'il n'a pas fait d'études et fait preuve d'une passivité intellectuelle totale. L'argument selon lequel les instituteurs ont souvent l'écriture calligraphiée est facile à réfuter car ils doivent constamment dans leurs actes scolaires avoir une valeur d'exemplarité. Si l'on veut, c'est une contrainte ou obligation professionnelle qui n'infirme en rien ce que nous déclarons.

L'écriture anguleuse ou arrondie

vous souhaite d'heureuses fêtes et vous
présente ses vœux les meilleurs pour
la nouvelle année.
Il vous félicite de la position que vous
avez prise publiquement dans le

jeunes commerciaux.
Titulaire d'un B.T.S Commerce Interna-
-tional, je suis très motivée pour un poste
qui me permettrait d'être en contact direct avec
la clientèle, de prospecter et entretenir un
secteur.
Vous trouverez ci-joint un curriculum.

Fig. 39 et 40: Écriture anguleuse; écriture arrondie.

C'est l'un des aspects les plus faciles à remarquer. D'un coup d'œil, n'importe quel lecteur peut voir si l'angle est plus marqué que la courbe. Si l'écriture est anguleuse le scripteur est ferme et volontaire mais si les angles sont très accusés, il

manque de souplesse, de bienveillance et de compréhension. C'est un être peut-être figé dans une structure rigide de pensée et donc inapte à la concertation et au dialogue.
Si les courbes dominent, nous avons devant nous l'écriture arrondie. C'est un signe d'indulgence ou de mansuétude mais si la pression est relâchée et l'ensemble mou, il y a de l'indolence et peu d'esprit critique. La combativité est absente.
Le plus fréquent est une sorte de compromis entre une forte angularité et un graphisme arrondi. Il s'agit alors d'une écriture semi-anguleuse, mais il y a tout de même une différence d'aspect entre les deux. Il suffit de voir la fréquence des courbes ou celle des angles. Il est excellent que les deux aspects soient intimement mêlés. C'est une bon exemple d'adaptabilité aux circonstances et aux individus puisque parfois il faut être ferme et inébranlable et parfois souple et indulgent. Il va sans dire que l'interprétation finale dépendra du niveau général.

L'écriture curviligne

-se, très aimablement.
Je suis à la recherche d'un premier
emploi de graphologue ; des vacations me con-
-viendraient bien pour commencer, mais je ne

Fig. 41: Écriture curviligne.

Si l'on désigne par ce mot la primauté des tracés arrondis, l'interprétation doit s'orienter vers l'imagination non pas créatrice mais reproductrice et évocatrice avec de la nonchalance et un rythme de travail peu ardent.

L'écriture en guirlandes

de l'emploi occupe une place spécifique
dans le dispositif d'études et de recherches
sur l'emploi, à la fois du point de vue
des thèmes qu'il aborde et des méthodes

Je serais prête à étudier toute proposi-
-tion et peut-être, auriez-vous la gentillesse
de me donner quelques conseils ou de m'in.

Fig. 42 et 43: Guirlandes anguleuses; guirlandes arrondies.

Si la base d'un n peut être lue comme un u et si l'on voit pour les m. une sorte d'arceau renversé, on a bien affaire à une guirlande. Elle est plus ou moins ouverte et son interprétation est essentielle.

D'une façon générale, la présence systématique de guirlandes - c'est-à-dire la forme des m. et des n avant tout - révèle une bienveillance d'accueil, beaucoup de réceptivité sentimentale mais aussi de la crédulité et de l'influençabilité.
La guirlande est le signe des personnes tolérantes mais surtout par absence de convictions personnelles. S'il s'agit d'une écriture féminine, c'est un être sans agressivité mais sensible aux compliments et très désireux de plaire.
L'aspect graphique contraire est l'arcade mais ce serait une grave erreur que de prendre systématiquement le contre-pied de l'écriture en guirlandes pour interpréter l'écriture arquée!

L'écriture crénelée

Sur la mezzanine du cinquième étage du tribunal du comité du Bronx, près des ascenseurs, se trouvait un grand hall d'entrée lambrissé de deux ou trois tonnes d'acajou et de marbre, et barré par un comptoir et une grande

Fig. 44: Écriture crénelée (ouverte).

Une écriture de ce type est très ouverte en haut des voyelles a ou o. C'est un signe d'ouverture aux autres, de curiosité et d'intérêt pour autrui. Les g et les q peuvent également présenter cet aspect. Son antonyme est l'écriture jointoyée.

L'écriture jointoyée

nous avons fait une déclaration d'impôts en commun –
j'espère que vous prenez un bon repos et vous adresse [illegible]

Fig. 45: Écriture jointoyée.

Les voyelles et les consonnes dont nous venons de parler sont au contraire comme hermétiquement verrouillées par une bouclette ou un œilleton.
Si le niveau général est de qualité, il s'agit de prudence, de réserve et même de discrétion.

Dans un milieu graphique médiocre on peut soupçonner le scripteur de méfiance ou même de dissimulation. Par ailleurs, le simple fait de chercher à se prémunir contre d'éventuels dangers ou de ses propres élans constitue un frein à l'action. Le scripteur est circonspect mais manque de naturel et de spontanéité.

L'écriture filiforme

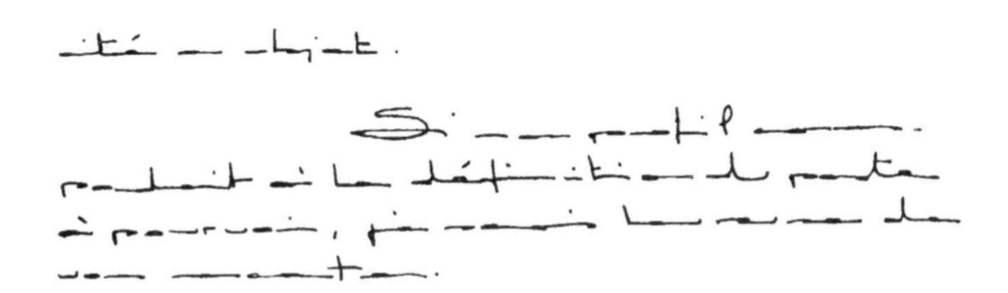

Fig. 46: Écriture filiforme.

C'est l'écriture dont les liaisons d'une lettre à l'autre sont… en forme de fil. Le trait s'étire de façon molle. L'interprétation est plus délicate qu'il y paraît car ce type de graphisme appartient à des personnes de caractères fort différents. L'explication classique est juste lorsqu'elle associe ce type de liaison à des penchants pour la ruse et la diplomatie. Les scripteurs à l'écriture filiforme sont également des personnes qui n'aiment pas s'imposer des contraintes et qui se *dérobent* à la fois aux efforts mais aussi aux responsabilités individuelles. Si la filiformité affecte chaque mot en sa totalité, il est rare que l'on ait affaire à quelqu'un de travailleur, d'énergique et surtout à un caractère ferme.

En revanche, si cette filiformité n'est constatée que dans certaines syllabes, le diagnostic est tout différent. On peut être en présence de quelqu'un qui recherche l'efficacité et qui est impatient d'atteindre ses cibles.

C'est un exemple typique de la difficulté en graphologie : des signes semblables ou proches peuvent avoir une signification opposée selon l'aspect de tous les autres signes. Il existe des personnages très actifs qui ont des filiformités dans les mots, notamment pour les consonnes redoublées telles que les mm.

L'écriture arquée

Ce matin je suis enrhumée, je suis malade, malgré tout, la vie est belle.

Fig. 47: Écritures arquées.

L'écriture en arcades consiste à exagérer les courbes normales, surtout pour les m. et les n. Ce graphisme est très courant chez les enfants et extrêmement riche de significations chez l'adulte.

Une fois encore, l'interprétation dépendra de la qualité générale de l'écriture. Si l'ensemble de l'écrit a une allure enfantine - primauté de la forme, lenteur, lettres mal soudées, dimensions grandes - le scripteur a encore l'esprit et le cœur d'un enfant ou d'un adolescent. L'arcade prononcée signifiera qu'il recherche la protection ou au moins qu'il cherche à se préserver des dangers extérieurs ou au moins des influences. L'arcade est une cuirasse, un abri et le scripteur prouve qu'il aime les petits secrets, voire le mystère.

Si l'ensemble de l'écrit est d'un meilleur niveau, il ne faut pas rejeter ce penchant à l'isolement plus ou moins hautain et y ajouter une volonté de repousser toute ingérence en sa vie intime ou professionnelle. Le scripteur n'est pas nécessairement un être soumis mais au moins très réservé et ne se livrant pas. Comme en outre il faut faire un effort pour dessiner nettement des arcades, il y a chez le personnage un *goût pour paraître.* Il y a un orgueil caché dans l'arcade chez l'adulte en même temps qu'un besoin de construire au moins dans sa tête soit un système de pensées, soit une doctrine ou encore un second personne avantageux à l'usage de ceux qui l'approchent.

Ainsi donc, la présence d'arcades dans une écriture d'adultes peut aussi bien se trouver sous la plume de scripteurs d'intelligence médiocre et d'affectivité immature que sous celle de personnes de qualité mais qui manquent de naturel, de simplicité et pas tout à fait satisfaites de leur sort puisqu'elles cherchent à se créer une image.

L'écriture simplifiée

Fig. 48: Écritures simplifiées.

Cette écriture n'a rien de commun avec l'écriture dite simple qui est simplement l'écriture proche des normes scolaires. Les deux sont dépouillées mais l'écriture simplifiée a acquis une personnalité, un sceau spécifique, une sorte de cachet déjà élégant par sa sobriété.

L'écriture simplifiée est celle dans laquelle certaines boucles ou certains jambages sont supprimés. Nous disons certains car cette suppression peut n'être qu'occasionnelle. En tout cas, ces simplifications n'emportent un jugement très favorable que dans la stricte mesure où elles ne nuisent en rien à la clarté ou à la lisibilité et donc à l'identification des lettres sans aucune ambiguïté.

Pourquoi donc les graphologues considèrent-ils l'écriture simplifiée comme l'un des graphismes attestant un bon niveau de culture générale et d'intelligence? Pour des raisons évidentes: la premières d'entre elles c'est que l'homme intelligent et instruit sait se débarrasser l'esprit de tous les détails superflus lorsqu'il aborde un problème et il dégage vite l'essentiel dans un ensemble de données. Dans le fameux exercice dit de contraction de texte, l'étudiant retient le principal sans altérer le sens et écarte le secondaire. C'est pour la même raison qu'un esprit de qualité élague certains signes s'il estime très rapidement que leur présence n'est pas totalement nécessaire. Inutile de préciser que l'adjonction de fioritures ou d'ornements de mauvais goût et parfaitement inutiles suggère au graphologue un avis très péjoratif sur le niveau intellectuel du scripteur.

Toutefois, certaines retouches opérées « a posteriori » sont plus la trace d'une inquiétude tatillonne que d'une médiocrité de personnalité.

L'écriture combinée

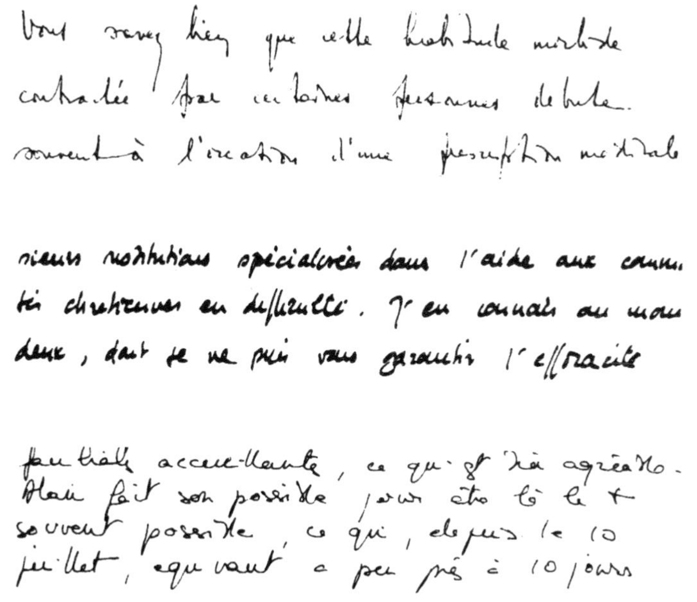

Fig. 49: Écritures combinées.

Nous avons gardé l'étude de cette espèce pour la fin du chapitre car elle est une sorte d'apothéose de la qualité. Qu'est-ce qu'une combinaison? C'est une liaison personnelle et adroite soit d'un point à une lettre, soit de deux lettres à une troisième. Elle prouve que le scripteur a résolu en une fraction de seconde la possibilité d'associer des signes sans nuire à la clarté tout en s'affranchissant des habitudes contractées durant l'enfance et en restant fidèle à sa nature.

On comprend que l'on considère la combinaison comme la preuve majeure d'intelligence inventive et assimilatrice surtout si l'on sait que les psychologues modernes tiennent l'intelligence pour l'aptitude à trouver une solution à un problème inattendu. Il faut savoir aussi que cette définition mériterait quelques enrichissements! En tout cas, la présence des combinaisons - sauf si elles sont trop tarabiscotées - est une indication extrêmement précieuse pour quelqu'un qui est chargé de recruter du personnel ou pour apprécier la valeur d'une relation amicale.

Mais nous rappelons que la combinaison ne concerne que les aptitudes de l'esprit et n'a pas de signification à propos de l'ensemble de la personnalité.

En revanche, si cette espèce est associée à la simplification, ce qui est fréquent - mais la réciproque n'est pas vraie - nous sommes devant un scripteur qui révèle de grandes qualités intellectuelles. Le travail n'est pas fini pour autant car il faut ensuite essayer de déterminer la nature de l'intelligence. C'est un point sur lequel la graphologie commence à révéler ses limites mais nous y reviendrons.

Pour terminer ce chapitre sur la forme, donnons quelques indications sur des signes fréquemment rencontres.

Traits d'attaque et finales

Trait initial pris loin vers la gauche : besoin de soutien et forme d'esprit contestataire et objecteur avant la lettre. trait initial en spirale : intelligence et mémoire médiocres, mollesse de caractère.

Finales :

Si la finale est courte ou légèrement émoussée : savoir-vivre et retenue, scrupules.
Finale courbe : besoin d'échanges aimables.
Finale suspendue : peur de déclarer son opinion et réserve dissimulatrice.
Finale acérée : besoin de décocher des traits caustiques au détriment d'autrui mais esprit éveillé et lucide.
Trait horizontal final nettement prolongé : besoin de s'affirmer sans beaucoup de tact.
Finale centripète : manque d'aisance dans les rapports humains.
Le nœud du t est un signe de ténacité.
Barre du t lancée vers le nord-est : ambition non assouvie, idéalisme.

VIII. LA CONTINUITÉ

On désigne sous ce nom la constance non seulement dans la liaison des lettres mais aussi la présence régulière des caractéristiques d'une écriture.

La continuité renseigne sur la persévérance de l'effort, sur la stabilité des sentiments et des opinions.
Certaines espèces - ou adjectifs - rattachés à la continuité pourraient figurer dans le genre Forme comme nous allons le voir tout de suite.

L'écriture liée

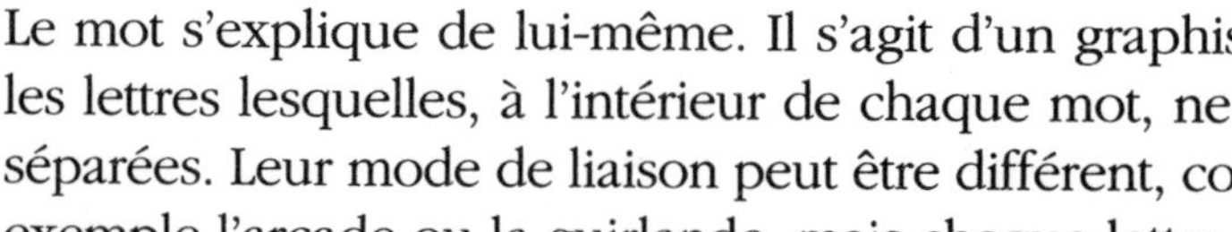

Fig. 50: Écriture liée.

Le mot s'explique de lui-même. Il s'agit d'un graphisme dans les lettres lesquelles, à l'intérieur de chaque mot, ne sont pas séparées. Leur mode de liaison peut être différent, comme par exemple l'arcade ou la guirlande, mais chaque lettre est liée à la suivante.
La première interprétation à en tirer vient du symbole même de la continuité : il est probable que le scripteur est régulier dans son action et qu'il est fidèle à ses points de vue qui, bien entendu, peuvent être erronés.
Avoir l'écriture liée n'est pas une garantie pour la qualité du jugement, mais une indication quant à une certaine fidélité à soi-même.

On peut faire remarquer en outre que si le scripteur ne lève pas sa plume c'est qu'il ne se pose pas trop de questions sur ce qu'il pense ni sur ce qu'il écrit. La personne qui étudie cette écriture sera bien avisée de regarder de près le niveau intellectuel du graphisme ainsi que la maturité affective.

Les enfants et les adolescents ont souvent l'écriture liée. De toutes façons, le fait de relier les lettres entre elles n'indique nullement l'aptitude à établir des rapports, des relations entre des phénomènes, des faits ou des idées. Rappelons encore que les liaisons ingénieuses, adroites ou élégantes sont des preuves irréfutables de qualités intellectuelles parce qu'elles sont des *combinaisons* mais que les liaisons simples, conventionnelles n'indiquent qu'une permanence aussi bien dans les travers et les insuffisances que dans les qualités du scripteur.

L'écriture groupée

Les années se suivent et ne se
ressemblent pas. En 1990, les [illegible] qui
avaient trusté les places d'honneur de
notre palmarès annuel étaient celles

Fig. 51: Écriture groupée.
Remarquez les blancs à l'intérieur des mots.

Le mot peut surprendre car il désigne une écriture découpée par petits groupes ou par syllabes. On devrait la désigner sous le nom de « dégroupée »!

C'est souvent une écriture de qualité mais elle révèle un goût pour le raisonnement déductif. Le simple fait de s'arrêter une fraction de seconde pour tracer ses lettres signifie que le scripteur ne saute pas aux conclusions sans réfléchir un instant et n'exécute pas ses tâches sans prendre un minimum, même très bref, de recul.

Le scripteur qui possède une écriture groupée n'est certainement pas un impulsif brouillon. Il prend le temps d'écouter et de prévoir ce qu'il va faire.
Si l'on n'oublie pas que *la possibilité d'anticipation est un des attributs de l'intelligence,* il est certain que ce type d'écriture est un indice favorable.
Toutefois, comme il s'agit d'un arrêt très court dans l'effort d'écrire il est utile de vérifier la vitalité générale du graphisme. Il se peut en effet que la personne qui écrit ainsi ait constamment besoin de se reprendre, de souffler un très bref instant. Il y a donc une présomption de fatigabilité.

L'écriture juxtaposée

J'ai toujours été attiré par l'électronique
et d'une façon générale par tout ce qui est
technique et l'école dont j'ai suivi les cours à

Fig. 52: Écriture juxtaposée.

Ce type d'écriture est très facile à reconnaître. C'est celle où aucune lettre n'est liée à une autre à l'intérieur de chaque mot. Elle est parfois désignée sous le nom de disjointe, encore qu'il y ait une nuance en ce qui concerne cette dernière, dont les lettres ne se trouvent ni dans la même direction, ni sur le même axe horizontal.
Les explications que certains graphologues donnent de cette écriture, à commencer par celle du plus illustre : Crépieux-Jamin, c'est-à-dire une aptitude à l'intuition nous paraît *plus que discutable.* Voici ce que l'empirisme nous enseigne à propos de la juxtaposition : le scripteur est plus doué pour les activités techniques qu'abstraites. Cette écriture se rencontre souvent chez ceux ou celles qui ont l'esprit d'observation

appliqué à des détails et qui aiment la précision, voire les vétilles.
En d'autres termes, il y a certainement peu de dispositions pour l'interprétation des allégories et peu d'aptitudes pour les généralisations et les théories chez ce type de scripteurs. Cette remarque n'enlève rien à la qualité ni à la personnalité des gens sauf si l'on veut à tout prix établir une hiérarchie entre les diverses formes d'intelligence.

En tout cas, c'est une écriture qui *était* fréquente chez ceux que l'on dénommait dessinateurs industriels ou même chez certains architectes. C'est pourquoi il convient de faire une autre observation sur l'écriture juxtaposée : elle révèle un souci de la forme et peu de mouvement. Il y a donc une *petite complaisance à l'égard de soi* et bel et bien une absence d'humilité en même temps qu'un regard et une attitude un peu statiques dans la vie associés à peu d'élan généreux vers autrui.
Si l'ensemble du graphisme révèle d'autres qualités telles qu'une excellente pression et une élégance des formes il y a - outre l'esprit d'analyse appliqué aux techniques - un goût pour le travail bien présenté *(fig. 52 bis)*.

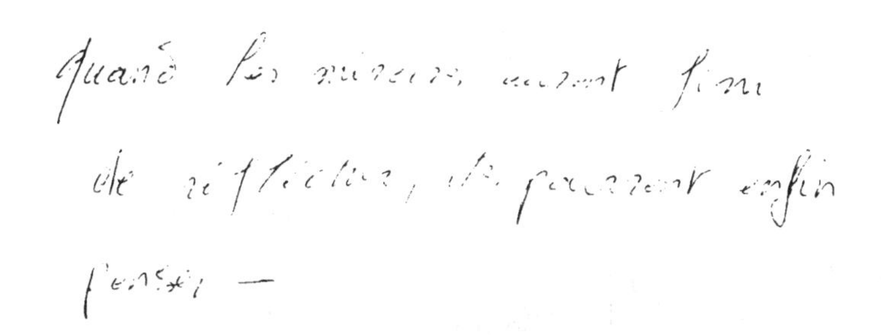

Fig. 52 bis : Écriture groupée à juxtaposée, f sinistrogyres.

L'écriture cadencée

Mes responsabilités comprenaient : la direction du service comptable (y compris contrôle de stocks) avec support informatique, les déclarations fiscales et le bilan annuel, l'assistance au

Fig. 53: Écriture cadencée

C'est une écriture régulière à tous points de vue, surtout dans l'inclinaison et la vitesse mais qui présente la particularité d'être nettement anguleuse.

Il y a des aspects favorables et défavorables dans cette écriture : elle indique une sorte de volonté ferme et persévérante qui ne se laisse affaiblir ou distraire par rien ni personne. Le scripteur s'impose des disciplines et ne se décourage pas. Cette façon rigide d'avancer dans la vie révèle une difficulté d'adaptation à la diversité des situations et des êtres et un penchant pour la routine. Les personnes dont l'écriture est cadencée n'ont aucun mal à respecter des règles et toutes formes de discipline. Elles sont même plus à l'aise si on leur en impose. Parfois elles peuvent même suivre une règle de conduite stricte. Pourtant, il ne faut jamais prendre la raideur pour de la droiture. Il se peut que le scripteur ait les deux mais la cadence indique toujours une difficulté à sortir de ses habitudes ou à se demander si les opinions ne mériteraient pas d'être nuancées.

Il peut arriver que ce type de scripteur prenne pour de la fermeté une inaptitude à la concertation et que leur constance soit une incapacité à changer de cap et donc à courir des risques.

L'écriture automatique

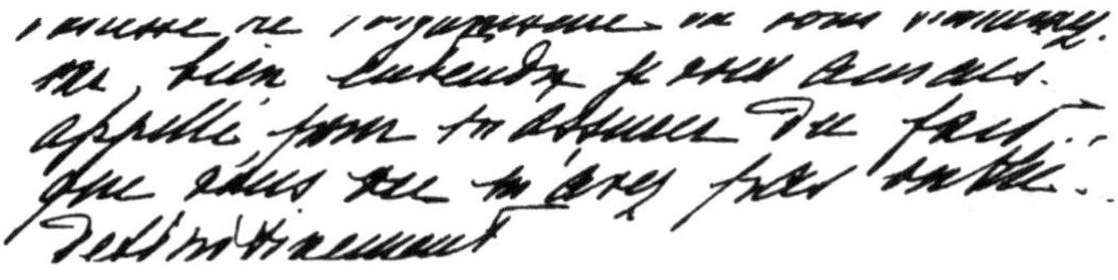

Fig. 54: Écriture automatique.

Cette écriture est une aggravation de la précédente. Elle paraît ne pas avoir été écrite par une main humaine mais par une machine. Dans ce cas, il est à craindre que le scripteur ne soit en proie à des idées définitivement figées. Évidemment, il y a des vérités éternelles mais la vie c'est le mouvement et certains graphologues allemands firent bien de souligner que les gestes et l'allure d'un animal créé par Dieu ne sont jamais aussi automatiques que les mouvements créés par les hommes. D'un bout de l'année à l'autre, notre cœur ne bat pas comme une horloge! Les battements d'ailes des oiseaux, pour réguliers qu'ils soient, n'ont pas une allure fixe et mécanique. Par conséquent, tout être humain dont l'écriture est mécanisée est en train de s'éloigner de la vie, des réalités et se cantonne probablement à un monde cérébral d'idées et d'opinions sans lien avec la vie même. C'est sans doute la raison pour laquelle certains malades mentaux coupés du monde réel ont une écriture très régulière et comme mécanisée.
A ce propos, il n'est pas superflu de rappeler que ce que l'on dénomme écriture rythmée est pratiquement d'un aspect opposé aux écritures cadencées et automatiques bien que rythme et cadence aient des sens voisins. L'écriture rythmée est régulière dans ses caractéristiques très personnelles et elle paraît contenir un souffle et une vie totalement absents dans les deux écritures précédentes.

L'écriture gladiolée

Un graphologue se doit d'être perspicace,
et il est certain que les études entreprises
peuvent y contribuer

Fig. 55: Écriture gladiolée.

L'écriture n'est pas continue dans sa dimension et présente une diminution à la fin du mot. C'est le contraire de l'écriture grossissante *(fig.* 56).

c'est la moindre des choses que d'être
respectueux avec nos maîtres et nos parents car

Fig. 56: Écriture grossissante.

Cette écriture est fort riche de signification. Elle traduit d'abord un fléchissement fugace et léger de vitalité. Le scripteur perd en un minuscule instant l'envie d'effectuer le geste d'extension musculaire, c'est-à-dire du bas vers le haut. Ce peut être aussi par efficacité car il sait que le mot ne risque pas d'être mal compris même si les dernières lettres sont plus courtes que les premières. Comme le mot a la forme d'un glaive - ou d'une feuille de glaïeul, c'est la même origine - on a découvert une signification symbolique à cette écriture. C'est l'aptitude à *percer l'âme d'autrui.* C'est un indice très sûr de perspicacité psychologique. Malheureusement, ce don peut être accompagné d'une petite curiosité pas parfaitement saine. L'écriture gladiolée peut très bien appartenir à *quel-*

qu'un qui aime fouailler dans le caractère d'autrui et d'y lever des voiles sans pour autant faire preuve de pénétration.
Une fois de plus, c'est la qualité générale du graphisme qui fera pencher l'interprétation soit dans le sens de la sagacité soit dans le goût de savoir ce qui se passe dans la tête et le cœur du voisin.

IX. LA PRESSION

Chacun d'entre nous appuie avec plus ou moins de force sur le papier lorsqu'il écrit. C'est cette intensité que cherche à évaluer le graphologue.
Comme nous ne disposons d'aucun moyen technique pour la mesurer - contrairement aux experts en écriture qui exercent un tout autre métier - il faut s'efforcer de déterminer cette pression par l'observation du trait non sans avoir retourné la feuille pour voir si la plume a laissé une empreinte sur le papier. Sans doute est-ce là un procédé rudimentaire mais il est probant.
Si l'on veut savoir à quoi sert l'examen de la pression il suffit de retenir qu'en ayant une écriture ferme et appuyée le scripteur prouve son tonus musculaire, son énergie physique et psychique et son désir plus ou moins puissant de vaincre les obstacles.
La pression révèle aussi le besoin d'affirmer sa personnalité - plus ou moins adroitement - et la force de ses convictions.
Signalons d'emblée qu'il ne faut surtout pas prendre une écriture épaisse et lourde pour une écriture ferme. Elle peut l'être mais *ce n'est pas le poids d'un graphisme qui permet de conclure à sa fermeté.*

L'écriture ferme

Fig. 57: Écriture ferme.

Le graphologue la constate grâce à l'appui du mouvement de flexion, c'est-à-dire tracé du haut vers le bas. Il est évident que si l'écriture est anguleuse, elle est un indice supplémentaire de volonté.

Que le trait soit vertical ou oblique ne change rien à l'interprétation puisque certaines consonnes à jambage telles que le p ou le j sont obliques si l'écriture est nettement orientée vers la droite.

Précisons encore que l'écriture ferme est une présomption d'énergie, de volonté de ne pas flancher et parfois d'un désir de création.

L'écriture légère

Fig. 58: Écriture légère.

En graphologie, il ne faut pas faire de raisonnements « a contrario ». Nous voulons dire que l'écriture légère ne doit pas entraîner la conclusion selon laquelle le scripteur manque d'énergie. Dans ce cas, l'écriture est *molle* et non légère. Elle est très facile à déceler car il n'y a que des courbes, les lettres sont mal formées, il n'y a pas de mouvement et elle est souvent droite et étalée. Il est facile d'en déduire que nous sommes en présence de quelqu'un d'indolent, de très peu combatif et d'influençable.
Pour revenir à l'écriture légère, disons qu'elle est décelable à son aspect vif, fin et mince. Elle atteste d'un caractère souple et sans goujaterie. Si le trait est décharné, maigre, la personne est idéaliste ou chimérique, sûrement sensible et sans doute possède un système nerveux vulnérable.

L'écriture épaisse et pâteuse

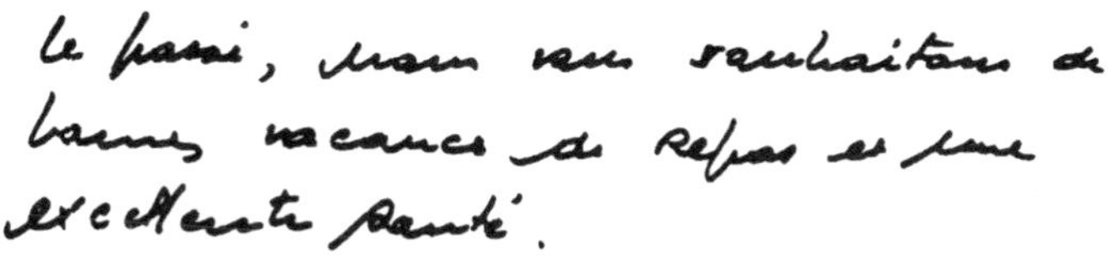

Fig. 59: Écriture épaisse et pâteuse.

La distinction entre les deux a des résonances byzantines. L'écriture épaisse évoque un sang lourd qui s'écoule mal; le trait est large. Elle appartient à des personnes intéressées par tout ce qui flatte les sens. Ce ne sont pas nécessairement des scripteurs qui veulent se vautrer dans la volupté ou se gorger des mets les plus rares mais seulement qui n'ont que faire des débats doctrinaux ni du progrès de leur âme! Pour déduire d'une écriture épaisse qu'elle appartient à quelqu'un qui se conduit comme un goret il faut bien d'autres signes.

L'écriture pâteuse appelle une interprétation plus nuancée encore. Il est fréquent de la voir apparaître sous la plume des gens qui ont de l'attirance pour les formes et surtout les couleurs. Si la forme est élégante, il peut y avoir un culte de la beauté mais de toutes façons, c'est l'écriture de quelqu'un qui aime la qualité de la vie et ne trouve aucuns charmes aux mortifications.

L'écriture nourrie

féminine au plus important en termes de
chiffre d'affaires.
Je souhaite aujourd'hui faire évoluer ma
carrière et m'orienter vers un poste commercial

Fig. 60: Écriture nourrie.

Elle réalise une sorte d'heureux compromis entre l'écriture maigre et les écritures épaisses ou pâteuses. Son pronostic est nettement favorable puisqu'elle ne succombe à aucune outrance. Il y a en elle un besoin de ne pas perdre contact avec le réel en même temps qu'une délicatesse dans les aspirations et les goûts. Ce peut très bien être une écriture ferme.

L'écriture maigre et sèche

Il faut mettre en oeuvre tous les moyens
pour que ceux qui souffrent puissent être atteints
par ce qui peut les secourir.
Dans la solitude

Fig. 61: Écriture maigre et sèche.

Elle est souvent anguleuse et grande et appartient à des personnes qui manquent de chaleur humaine et d'indulgence. Souvent, ce sont des scripteurs acariâtres qui se complaisent dans leurs ruminations amères. Ils généralisent les faits défavorables pour les élever à une sorte de doctrine. Si ce type d'écriture est étrécie - ce qui est souvent le cas - celui ou celle à qui elle appartient ne semble ni épanoui, ni ne sait vivre l'instant qui passe et manque d'aisance partout.

L'écriture acérée

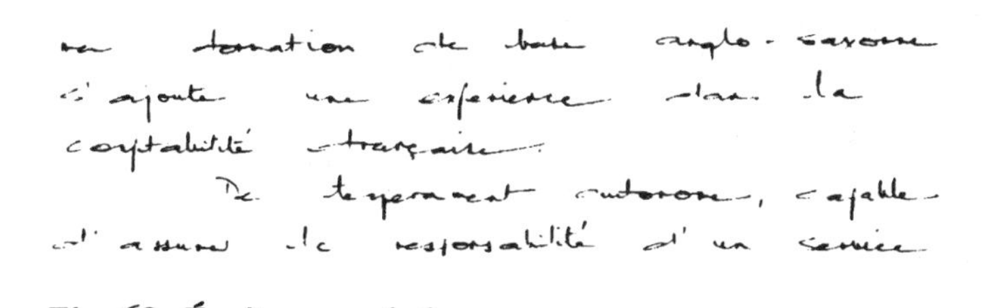

Fig. 62: Écriture acérée.

Cette écriture a des finales qui se terminent par une sorte de dard effilé tendu vers le ciel. Les barres de t peuvent avoir aussi cet aspect. Il ne s'agit pas fatalement d'un indice de méchanceté mais simplement d'une tendance à utiliser son habileté verbale pour lancer des paroles sarcastiques ou cinglantes mais lucides.

L'écriture massuée

Fig. 63: Écriture massuée.

L'aspect graphique des finales massuées est exactement contraire de celui des finales acérées. Au lieu de se terminer par une pointe aiguë, l'observateur constate un épaississement à la fin. C'est l'indice d'un caractère rageur et hargneux. Le besoin d'affirmer son autorité est certain. L'interprétation ne peut s'orienter vers le morbide que si le signe est énorme. Ce qui est certain, c'est que cet aspect ne préjuge pas d'une indulgence et d'une tolérance à toute épreuve mais, comme toujours il faut observer l'ensemble pour émettre un jugement sûr à propos de cette écriture. Une personne indulgente et respectueuse d'autrui peut très bien avoir l'écriture massuée de même qu'une brute épaisse.

X. LES SIGNATURES

Dire de la signature qu'elle est écrite à la fin du texte est évidemment un truisme mais c'est pourtant la première réflexion à faire pour la simple raison que c'est à ce moment là que le scripteur ou bien ne se surveille plus guère ou bien au contraire qu'il redouble d'attention.
Il y a donc un renouveau d'authenticité dans la signature ou un besoin de porter un masque pour l'extérieur. Voici donc comment déceler laquelle des deux hypothèses doit prévaloir.
Le graphologue appliquera à la signature, et avant tout autre opération, tout ce qu'il sait de l'approche analytique par le moyen des adjectifs précédemment étudiés. Il faut donc examiner la dimension, la forme, la vitesse, etc. En deuxième lieu il est important de regarder si la signature a été placée à droite car il s'agit d'un signe d'activité et d'ouverture au monde et si elle est horizontale, renversée, descendante ou montante auquel cas il suffit de se souvenir de ce qui a été dit à propos de ces espèces.

Parité de nature

Enfin, et c'est là une dernière opération qui entraînerait de graves erreurs si elle était oubliée : bien observer s'il existe une *parité de nature* entre les caractéristiques décelées dans le texte et celles de la signature.

Imaginons que les dimensions de la signature soient nettement plus grandes que celles du reste : il y a un appétit de réussir, de se montrer et de vivre de la part du scripteur. Il est expansif et ambitieux - surtout si la signature est à droite - et il n'est pas du tout effacé (fig. *60)*.

Bien entendu je serai toujours heureux d'avoir de vos nouvelles et vous prie de croire en mes meilleurs souvenirs

H. Vallat

Si les dimensions sont plus petites, le scripteur est plutôt effacé et ne cherche pas à se faire remarquer dans le monde, à moins qu'il manque de confiance en lui-même *(fig. 61)*.

à ma considération distinguée

A Lamotte

Si la signature est située au milieu de la page, soyons sûr que son auteur recherche un compromis dans la discussion. Il ne veut pas aller trop loin dans ses affirmations pour ne pas se créer d'ennemis et il manque quelque peu d'aisance *(fig. 62)*.

Bien à vous

Georges de la Place

Imaginons maintenant que la signature soit indéchiffrable, ce qui est fréquent, bien que l'ensemble du texte soit très lisible, il y a là une présomption sinon de fourberie mais au moins de duplicité ou de dissimulation à moins que ce ne soit simplement la peur des responsabilités.
D'une façon générale, une signature bien lisible doit entraîner pour l'observateur un préjugé plutôt favorable quant à la droiture des intentions.
S'il s'agit du contraire il y a quelque chance de se trouver en présence d'un être sans ruse et sans rouerie mais qui fait des concessions partout où il passe.

Plus fréquente est la signature claire et rédigée avec application : c'est l'indice d'un cœur droit et d'une volonté ferme mais dans ce cas précis, l'observation du niveau général est capitale. Il existe en effet des signatures scrupuleusement écrites pour la simple raison que leur auteur a l'habitude d'un travail calligraphié et scolaire. Dans ce cas, et s'il y a une absence totale des signes de supériorité intellectuelle que nous connaissons bien : simplifications, harmonie, clarté, combinaisons, etc., et s'il n'y a aucune disparité avec le texte, gageons que le scripteur est fidèle à lui-même et il est attaché aux formes de simplicité *(fig. 63)*.

Avec mes respectueux hommages

Si la signature est placée à gauche de la page il s'agit d'un signe de découragement ou de troubles nerveux. Mais attention ! Il y a des peuples - comme par exemple les Américains du Nord - qui signent ainsi ! Comme certains « cadres » français qui travaillent avec eux ou telle ou telle secrétaire adoptent leurs habitudes, il est utile de savoir les activités professionnelles de ces scripteurs avant de passer aux conclusions.

Bien que nous ayons recommandé, dès le début de ce chapitre, qu'il suffisait d'appliquer aux signatures l'interprétation des adjectifs bien connus dont on se sert pour le texte, nous allons redonner les réflexions qu'inspirent ces espèces.

Signature

Ferme sur l'axe horizontal:
équilibre général et ambition faible.
Montante:
pugnacité, ambition, confiance en soi et dans la vie. L'ensemble est majoré si la signature est placée à droite.
Descendante:
lassitude ou découragement, tendance aux renoncements,
Verticale:
désir et recherche d'équité, volonté ferme mais légère, difficulté de communication. L'ensemble
est majoré si l'écrit est très anguleux.
Renversée:
caractère plein de réticences, timoré et peu généreux, parfois difficile à vivre.
Placée entre 2 traits horizontaux:
besoin de dominer mais à l'intérieur d'un cadre strict. En d'autres termes aime appliquer des règles hiérarchiques sur les autres mais sans faire preuve d'un goût du risque pour soi-même.
Où l'initiale du prénom est importante:
affectivité vive et attachement à l'adolescence et au passé.
Suivie d'un point:
méfiance, circonspection
Point au milieu d'une des lettres:
sentiment de culpabilité

Disons maintenant quelques mots sur les paraphes, c'est-à-dire d'une pseudo-signature dégagée des normes apprises mais qui est censée donner la griffe, le sceau personnel du scripteur.

Le paraphe

Le paraphe est aussi révélateur des traits de caractère que la signature.

En zigzag

Ce signe est l'indice d'un caractère rageur peu agréable et peu disposé à la concertation.

En lasso

Il révèle l'habileté à capter la confiance ou à séduire.

Géométrique

On le désigne parfois sous le nom de paraphe abstrait. Il est en usage chez le personnel d'encadrement et fréquent chez les personnes qui ont fait des études de bon niveau. Il marque une volonté de bien déterminer et limiter leurs responsabilités.

Souligné:

besoin d'affirmer sa dignité, sa réputation ou son autorité.

Surligné:

besoin de commandes mais en même temps de ne pas courir de risques.

Embroché:

Si le paraphe est comme perché d'un tournebroche, il y a une inquiétude devant les responsabilités.

XI. LA PONCTUATION

Elle fait partie de ces disciplines de plus en plus bafouées. L'enseignement primaire étant moins rigoureux qu'autrefois il ne faut pas s'étonner de voir la ponctuation négligée et il faut s'estimer heureux de ne pas entendre un ignorant contester son utilité!
En tout cas, la négligence systématique de la ponctuation est lourde de signification pour le graphologue qui peut dans ce cas établir plusieurs hypothèses. Il viendra aux conclusions après avoir bien examiné l'ensemble et surtout la qualité générale du milieu graphique.

Une ponctuation négligée révèle:

• une formation de base peu solide. Toutefois, si l'écriture est de bon niveau on peut y voir une impatience dans l'action ou une volonté de négliger les détails.
• une pensée brouillonne et peu de goût pour toutes les formes de précision.

Une ponctuation attachée aux habitudes scolaires:

Au contraire, une ponctuation strictement respectée mais attachée aux habitudes scolaires révélera:
• un certain conformisme de pensée et un attachement aux usages,
• un goût pour le respect des conventions,
• une absence d'originalité dans les points de vue.

Chaque signe en détail

Il n'est pas douteux que le fait de placer judicieusement les virgules traduit une pensée claire et organisée, assortie d'un

bon jugement pour bien dissocier l'importance hiérarchique des idées exprimées.
Si le point est fréquent et les phrases courtes, il est certain que la forme d'esprit n'est pas du tout la même que chez celui dont les phrases sont longues et compliquées avec le risque de confusion qu'elles impliquent.
La personne qui utilise le point virgule a quelque chance d'appartenir à une génération précédente mais prouve un don ou au moins une inclination pour la qualité de l'expression. Le point virgule trouve plus d'adeptes chez ceux qui ont une intelligence littéraire et non technique.
Lorsqu'un scripteur parsème ses écrits de points d'exclamation ou d'interrogation - comme Louis-Ferdinand Céline - il y a du lyrisme, de l'exaltation cérébrale, un manque de mesure et beaucoup d'émotivité. Dans ce cas, ce n'est pas le raisonnement froid ou pondéré qui caractérise le scripteur mais le sentiment - ou le ressentiment - et les passions.

XII. L'ACCENTUATION

Le point sur le i est un geste précis. S'il est bien placé, c'est-à-dire exactement au-dessus de la lettre il indique un goût du détail et de la minutie.
Si ce point ou les accents sont placés en haut de la lettre, il y a de la rêverie ou de l'idéalisme, mais en tout cas pas beaucoup d'activité efficace.
Si les points ou les accents paraissent comme déplacés vers la droite, il s'agit au contraire d'un bon indice d'ardeur au travail et de besoin d'aller de l'avant. Si ces points se trouvent placés un peu à gauche de la lettre, il y a de la pusillanimité chez le

scripteur et une vitalité contestable. Le lecteur a sans doute eu l'occasion de voir des textes - surtout ceux écrits par des jeunes filles ou des adolescents - dont les i sont surmontés par des petits cercles. L'expérience enseigne que cette pratique se rencontre chez les jeunes dont le milieu familial a été perturbé. Quoi qu'il en soit, le simple fait de prendre le temps de dessiner une sorte de petit ballon sur un i est la marque d'une certaine indolence *(fig. 78)*.

Monsieur,
J'ai l'honneur de poser ma candidature pour le poste de sténodactylographe
Titulaire du BAC G1 et âgée de 21 ans, j'effectue actuellement mon service militaire en tant que volontaire féminine au sein de la Gendarmerie

Fig. 78.

C'est une particularité de l'écriture que l'on ne trouve jamais chez les personnes dynamiques.
En revanche, une opinion très favorable peut être dégagée à partir d'un i dont le point fait corps avec la lettre avec laquelle il est relié. C'est une combinaison et l'on sait qu'il s'agit là d'un indice excellent d'un des attributs de toute intelligence - quelle qu'en soit la forme -: établir des rapports entre deux concepts *(fig. 79)*.

Celle-ci est motivée par l'intérêt que je porte au secteur d'activité de votre société.
Mes qualités relationnelles, mon sens de l'organisation, ma capacité d'initiative

Fig. 79.

L'APPROCHE PAR LE SYMBOLISME

L'utilisation du symbolisme

C'est un procédé délicat et plein d'écueils car il peut conduire à des considérations ridicules tant il côtoie sans cesse les rivages de la pensée magique.
La découverte d'un symbole dans l'écriture, tout comme dans un geste, un signe, un objet ou une attitude peut conduire à des observations profondes ou à des réflexions puériles.
Le graphologue qui voudrait se servir de ce moyen à l'exclusion de tout autre courrait le danger d'aboutir à des conclusions extravagantes et celui qui voudrait totalement l'ignorer par excès de rationalisme risquerait de passer à côté des traits de caractère les plus marquants du scripteur. Le plus sage est de s'en tenir à ce qu'ont découvert nos prédécesseurs tant en symbolisme qu'en application de ce dernier sur l'étude des graphismes.

La rose des vents

Elle représente le meilleur moyen pour évoquer le symbolisme de l'espace. La direction que prend une écriture est révélatrice du caractère et de la personnalité donc des états de conscience du scripteur.

Toutefois, il faut limiter notre interprétation au symbolisme occidental car il n'en existe pas d'universel.
Dans la tradition indo-européenne, tout ce qui est dirigé vers la gauche est entaché d'une sorte de malédiction. Tout ce qui est orienté vers la droite possède un sens favorable et actif. Personne n'y peut rien et il est vain de s'en étonner et surtout de ne pas s'y résoudre.
Les Romains considéraient un vol d'oiseaux se dirigeant vers la gauche comme de fâcheux augure avant toute bataille. D'ailleurs, le mot sinistre vient d'un mot latin qui signifie à gauche!
Dans le « Credo » catholique il est dit de Jésus : assis à la droite de Dieu...
Dans la vie profane, c'est un honneur que d'être placé à la droite d'un personnage connu!
D'ailleurs, le côté gauche représente ce qui est féminin et passif - voire nocturne et satanique! - tandis que ce qui est à droite évoque ce qui est masculin et actif. Mais que nos lectrices se rassurent! Le graphologue sait bien que certains hommes ont une écriture dirigée vers la gauche et sont passifs tandis que certaines femmes ont bel et bien une écriture orientée à droite et font preuve d'une belle énergie.

L'Est

Retenons donc qu'une écriture dirigée vers l'Est, c'est-à-dire vers la droite fait penser à un goût pour l'activité, une confiance dans l'avenir avec tout ce que cela comporte de goût pour entreprendre et donc d'un certain attrait pour les échanges avec les autres. Une personne hautaine, secrète et taciturne a beaucoup plus de chance d'avoir un graphisme vertical ou renversé que dextrogyre.
L'homme ou la femme qui se dirige vers l'Est recherche la lumière et la vie. Son attitude n'est empreinte de réticences ou de méfiance. Cette personne va de l'avant parce qu'elle veut progresser. Lorsque l'on examine une candidature à une fonction quelconque, ce premier aspect est plutôt un bon point.

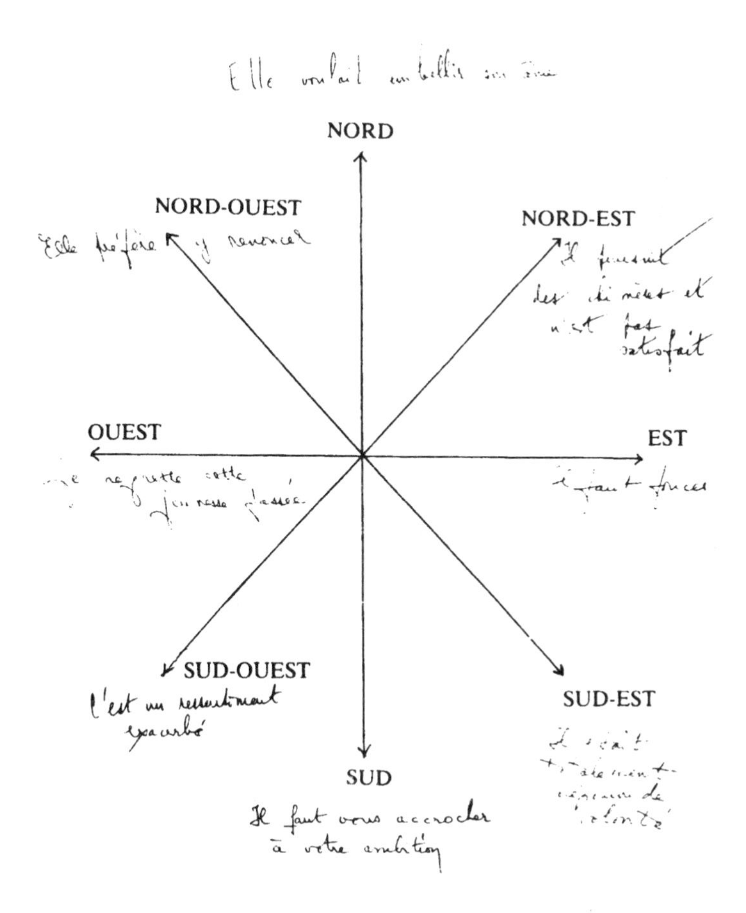

Fig. 80: La rose des vents

L 'Ouest

Si l'écriture est au contraire dirigée vers l'Ouest, donc vers la gauche, le personnage a tendance à revenir sur son passé, à craindre les contacts avec ses semblables par méfiance ou par indifférence. Sa réserve nuit à la communication et il manque sûrement de générosité et de goût pour la lutte et la vie même, étant entendu que ces remarques sont applicables surtout aux adultes.

Lorsque le graphologue examine une lettre de candidature qui présente ces aspects et qu'il lui est prescrit de déterminer le degré de disponibilité du scripteur, il est certain que ledit graphologue ne peut qu'exprimer des réserves. La personne dont l'écriture est ainsi cabrée vers la gauche manque sûrement d'esprit d'équipe et n'a pas cette chaleur coopérative que tout employeur est en droit d'attendre.

Le Nord

Si la zone supérieure des lettres, donc les hampes, et si l'ensemble donne nettement l'impression d'être dirigés vers le ciel - c'est-à-dire le Nord pour la rose des vents -, si le graphisme paraît comme dressé et comme hypertrophié de façon plus ou moins prononcée dans les hampes et les majuscules il y a un désir d'élévation spirituelle, ou bien des tendances chimériques ou encore idéalistes. En tout état de cause, il y a une prédominance de l'activité cérébrale avec tout ce que cela peut entraîner. Il peut s'agir d'une appétence de qualité pour les travaux de l'esprit ou un besoin de purification mais le souvent c'est une aspiration de dépassement de soi ou une fuite vers le monde des idées.

Là comme ailleurs, la conclusion n'aura de sens qu'après examen d'autres facteurs. Il se peut en effet que la prolongation des hampes et l'importance des majuscules ne soient dues qu'à l'orgueil.

Le Sud

La zone des jambages, elle, se dirige vers le Sud et symboliquement vers la Terre. Si elle paraît nettement plus importante que celle qui lui est symétriquement opposée il convient d'établir plusieurs hypothèses: le scripteur recherche ce qui est tangible et a tendance à s'adonner aux activités qui rapportent. Au lieu d'aspirations tendant à exalter sa personnalité d'une façon ou d'une autre, le scripteur cherchera à accroître son patrimoine et à satisfaire ses besoins organiques beaucoup plus qu'à purifier sa conscience.

Il va de soi que cette observation sera majorée ou pondérée selon l'épaisseur du trait et plus encore suivant la qualité de l'ensemble mais, de toutes façons, la prédominance de cette zone évoque plus un bon ancrage dans le réel et la vie que celle de la zone supérieure.
Comme rien n'est facile en graphologie, le lecteur n'a pas manqué de remarquer que beaucoup de signes - par exemple les finales de lettres, les barres de t, le troisième jambage des m. - ne sont dirigés vers aucun des quatre sens dont nous venons de parler et c'est pourquoi le symbolisme de l'espace parle des directions Nord-Est, Nord-Ouest, etc. (fig. 81).

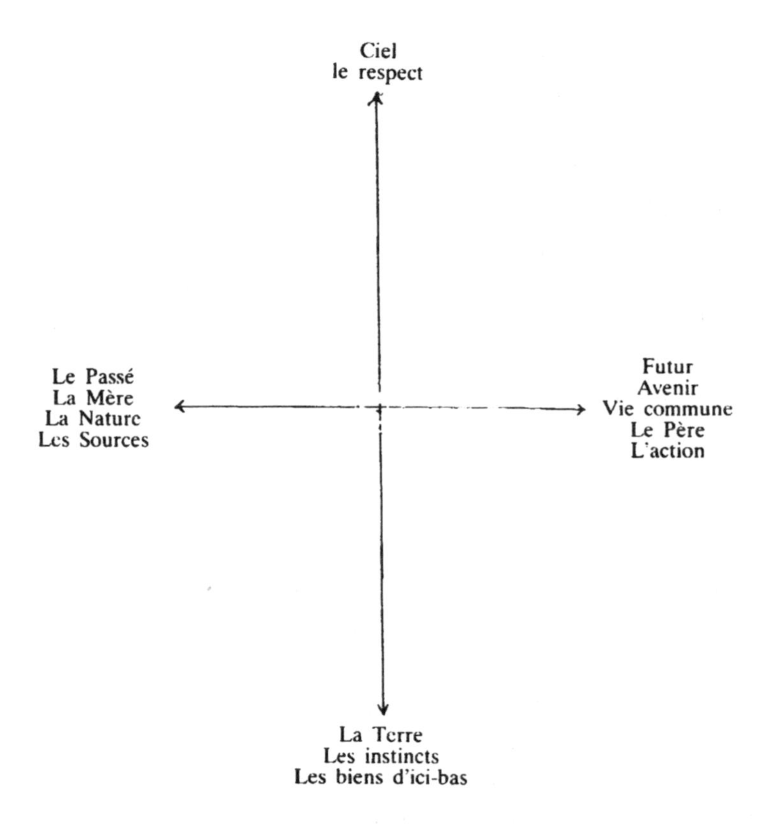

Fig. 81: Symbole des points cardinaux

La direction Nord-Est

S'il s'agit de la première d'entre elles, disons tout de suite qu'elle est fréquente pour les barres de t. La direction Nord-Est est, dans ce cas, riche de significations. Elle révèle une tendance agressive, individualiste, peu encline au respect hiérarchique et surtout à une ambition inassouvie génératrice de ressentiment. Il y a du cran et de la fermeté dans cette barre mais la poursuite de cibles difficilement accessibles.

Le Nord-Ouest

Le signe dirigé vers le Nord-Ouest - ce peut être le jambage d'un g ou la boucle d'un f fig. (82) a une toute autre signification. Il correspond à une sorte de refus de coopérer et à l'attitude rétive de quelqu'un qui regimbe à propos de tout et de rien. Si l'on recherche l'esprit d'équipe ou communautaire, cet indice est défavorable. Dans ce cas, on est en présence de quelqu'un qui croit déchoir ou perdre sa dignité en effectuant des travaux fastidieux ou obscurs.

Fig. 82.

La zone Sud-Ouest

Diamétralement opposé au Nord-Est, voici la zone du Sud-Ouest vers laquelle sont dirigées certaines finales de consonnes (fig. 83). Ce signe est la révélation certaine des rancœurs. Non seulement il y a de la cupidité mais aussi la preuve d'une rumination tenace et ancienne contre une ou - le plus souvent - plusieurs personnes.

Fig. 83.

Le Sud-Est

Enfin voici le Sud-Est où l'on découvre l'amère lassitude des personnes qui sont fatiguées de lutter et se laissent gagner par le découragement. Les barres de t peuvent être affectées de cette forme fig. (84).

Il y a encore de la volonté mais elle renonce à s'appliquer.

Fig. 84.

La zone médiane des lettres

Mais nous voici parvenus à un moment capital de l'étude du symbolisme puisque nous examinons maintenant le sens de la zone médiane des lettres. On peut la définir de façon négative: elle est ce qui reste si l'on enlève les zones supérieures et inférieures.

Cette zone est fort riche de signification: si l'on rapproche la zone supérieure de l'esprit et la zone inférieure des instincts - pour parler en concepts grossiers - le corps médian correspond au cœur, c'est-à-dire à la vie affective donc à l'importance qu'il donnera à l'opinion qu'il inspire. Les personnes dont la zone médiane est dilatée - ce qui est très fréquent dans les écritures féminines - sont très soucieuses d'éviter les inimitiés. Elles font donc ce qu'il faut pour plaire avec tout ce que cela comporte de concessions dans la vie sociale et d'amour de soi. Il y a une hypertrophie du moi dans l'écriture dont la zone médiane est agrandie. La personnalité vit dans le présent et elle est adaptable en beaucoup de milieux. Il va de soi que ce genre d'écritures n'est pas de bon augure si l'on recherche quelqu'un de très structuré et de grande fermeté. C'est un graphisme de personnes qui ne sont guère tourmentées par les doctrines et encore moins par les questions religieuses mais elles sont aimables et ne vivent que par le cœur. L'avenir et le passé les intéressent beaucoup moins que le présent. Leur sort et leur vie beaucoup plus que ceux du voisin! (fig. 85).

Fig. 85.

Signes liés à certaines lettres

L'ensemble de ces réflexions serait incomplet si nous ne parlions de certains signes hautement symboliques et qui sont liés à certaines lettres.

Lorsque les v sont régulièrement écrits en forme de vasque ou de calice et évoquent une sorte de coupe il est raisonnable d'y voir une tendance au don de soi. C'est un bon indice de dévouement. On voudra bien se souvenir que dans la liturgie catholique, le calice est utilisé pour recréer l'offrande. Cette forme de v est d'ailleurs autant révélatrice de la tendance au don qu'à l'accueil. Le scripteur est prêt à donner mais il est avide de sentiment.

Si le graphologue découvre de minuscules crochets ou de petits harpons aux barres de t ou dans les finales de la signature, c'est une présomption d'accaparement. Comme l'exigence de précision est permanente en graphologie, il faut tout de suite se demander ce que le scripteur veut capter. Une fois de plus, c'est l'ensemble de tous les autres aspects qui fournira la solution. Si de nombreux signes de primauté de l'affectif sont présents, il peut y avoir avidité d'affection. S'il existe des signes de cupidité - traits régressifs en pattes de poule dirigés vers la gauche - il peut s'agit du goût pour la thésaurisation de l'argent (fig. 86). L'expression un peu prosaïque mais courante : « ils en ont mis à gauche » est bien révélatrice de la puissance du symbolisme !

Il faut bien économiser

Fig. 86.

Lorsque le lecteur d'un texte manuscrit décèle des jambages ou des hampes qui ont l'aspect de poignards, de hallebardes ou d'épées, il ne doit pas douter d'être en présence d'un scripteur agressif - même très introverti - et vindicatif ou au moins rancunier (fig. 87).

Il n'oubliera jamais

Fig. 87.

Rappelons enfin que la crainte de s'approcher du bord droit de la feuille est typique des personnes timorées ou simplement prudentes. Sans verser dans la poésie on peut dire que ce bord droit est un lointain rivage que l'on a plus ou moins de cran pour aborder.

Le bord gauche représente notre passé et tout ce à quoi nous sommes attachés: les liens familiaux, les souvenirs d'enfance, etc. Si l'on a des difficultés à nous en éloigner nous gardons des traces sentimentales profondes de notre enfance et de notre jeunesse. Nous aimons nos souvenirs, et au fond, nous sommes encore plus attachés à la famille - ou mentalement plus dépendants - d'où nous sommes issus qu'à celle que nous avons créée.

Le symbolisme

Outre les orientations de la rose des vents dont le sens vous est maintenant connu, il est utile de signaler quelques signes fréquemment observés dans les écritures. Il existe une catégorie de caractères ouverts, expansifs et souvent chaleureux dont nous aurons l'occasion de parler dans notre chapitre sur la typologie planétaire, dont les écritures sont émaillées de boucles plus ou moins importantes. Par exemple pour les f, dans la zone médiane.

La boucle

La boucle est une sorte de nœud et de lien. Il y a donc dans ce signe une idée de séduction et d'habileté à capter l'attention. Sachez donc que les f ornés de cette boucle médiane appartiennent à des personnes adroites et qui savent utiliser les circonstances pour se tailler une place dans la vie sociale ou au moins se tirer d'un mauvais pas, étant entendu que la boucle ou la bouclette peut se trouver sur toute lettre.

La croix

La croix, elle, est très riche car elle peut engendrer un cercle, un carré ou deux triangles. Elle est certainement le plus dense des symboles et c'est pourquoi elle peut avoir de nombreux sens. Les signes cruciformes sont fréquents dans les écritures: la barre et la hampe du t peuvent créer une croix, et les signatures sont souvent terminées par deux traits qui se croisent (fig. 88).

Fig. 88

Ces signes peuvent être interprétés comme une volonté de combat dans une recherche d'équilibre intérieur. S'il est admis que l'axe vertical représente un désir de gravir les échelons de la spiritualité et l'axe horizontal une volonté de développement de la personnalité dans le sens de la réussite sociale, on peut raisonnablement deviner chez le scripteur qui aime ce genre de signes une appétence sincère de perfectionnement constamment en conflit avec le besoin de réussir... Les signes cruciformes représentent un combat avec le monde mais aussi à l'intérieur de soi. Mais attention! La croix ne doit pas faire attribuer de la religiosité.

L'enchevêtrement

L'enchevêtrement dont nous avons parlé dans le chapitre sur la Direction est aussi un symbole de répression et de tourments. Le scripteur se trouve pris dans les ronces ou les broussailles de sa conscience et n'arrive pas à se dépêtrer de ses conflits intérieurs.

L 'enlacement

L'enlacement dont certaines personnes affectent leur j fig. (89) ou leur g correspond bien à un désir d'user de leurs attraits pour plaire ou même pour berner. C'est le lierre qui s'entoure autour d'un être comme un serpent...

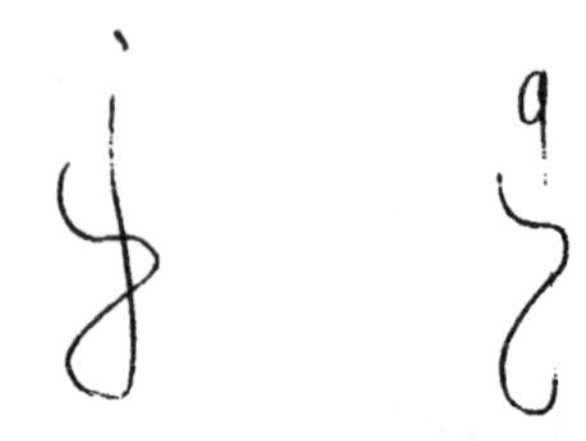

Fig. 89.

La spirale

La spirale est un enroulement. Elle peut donner sa forme à une majuscule ou une minuscule (fig. 90). Ce symbole se rattache au symbolisme de la lune avec tout ce que cela entraîne de passivité et de plasticité chez le scripteur. La spirale est fréquente chez les personnes lymphatiques; elles piétinent sur place et sont peu entreprenantes. Mais elle peut aussi être un signe typique des personnes qui aiment fouiller dans les secrets de la nature ou se complaisent dans certains vices. Le chapitre suivant indiquera quelle typologie planétaire est rattachée à ce signe.

Fig. 90.

LE SYMBOLISME PLANÉTAIRE ET LES CARACTÈRES

De toutes les méthodes, celle-ci est une des plus accessibles. Elle ne nécessite qu'une bonne connaissance des attributs que les Anciens donnèrent aux planètes et au Soleil. En aucun cas il ne faut établir de relation entre cette méthode et l'Astrologie, contrairement aux apparences induites par le vocabulaire. Si le lecteur se demande comment il est possible d'établir un portrait à partir de signes qui évoquent une planète, qu'il se souvienne que notre cerveau - et donc notre écriture - est imprégné, souvent inconsciemment, de tout ce que nos ancêtres ont peu à peu découvert.
Il suffit de penser à notre langage pour en acquérir la certitude. La Lune a moins bonne réputation que le Soleil. Celui-ci évoque la vie, la santé, la puissance et la lumière et certains peuples l'ont divinisé, mais lorsqu'un individu est comparé à la lune, déjà des sourires apparaissent.
Cette méthode est due à feue Madame Koechlin, qui adopta le pseudonyme de St Morand. Depuis sa disparition, plusieurs graphologues de grande compétence telles que Mesdames Sylvie Borie, Hélène de Maublanc, Françoise Colin et Maurice

Munziger - dont les connaissances en symbolisme et en morphologie sont irremplaçables - ont beaucoup enrichi la méthode.

La méthode St Morand

La méthode St Morand est fondée sur les quatre éléments l'eau, l'air, le feu et la terre, eux-mêmes déjà chargés de symbolisme.
Chaque planète est censée appartenir à un élément dominant et à un autre, pour la simple raison qu'aucun caractère n'est pur ni exempt de mélange. C'est pourquoi le lecteur voudra bien s'habituer à toujours découvrir d'abord la planète la plus proche et s'empresser de trouver la où les autres qui viennent infléchir la première approche. En d'autres termes, aucun d'entre-nous n'est totalement Jupiter, ce qui est heureux. C'est le mélange des tendances qui fait sinon la richesse d'un être - le manque d'unité et de cohérence intellectuelle est un danger - mais au moins amoindrit ses passions.
Cette difficulté n'est pas particulière à l'approche des individus par cette méthode. Toutes les autres exigent de nuancer l'affirmation d'appartenance à telle ou telle catégorie. Faut-il rappeler que les produits les plus savoureux, tels que le champagne, le café, le chocolat, le vin sont toujours des mélanges? Quant à la pureté, elle n'existe nulle part et surtout pas dans nos cœurs. Si le lecteur découvre un « Lune » ou un « Saturne » pur, qu'il sache bien que ce n'est pas un compliment.

REPRÉSENTATION SYMBOLIQUE
DE LA TYPOLOGIE PLANÉTAIRE (fig. 91).

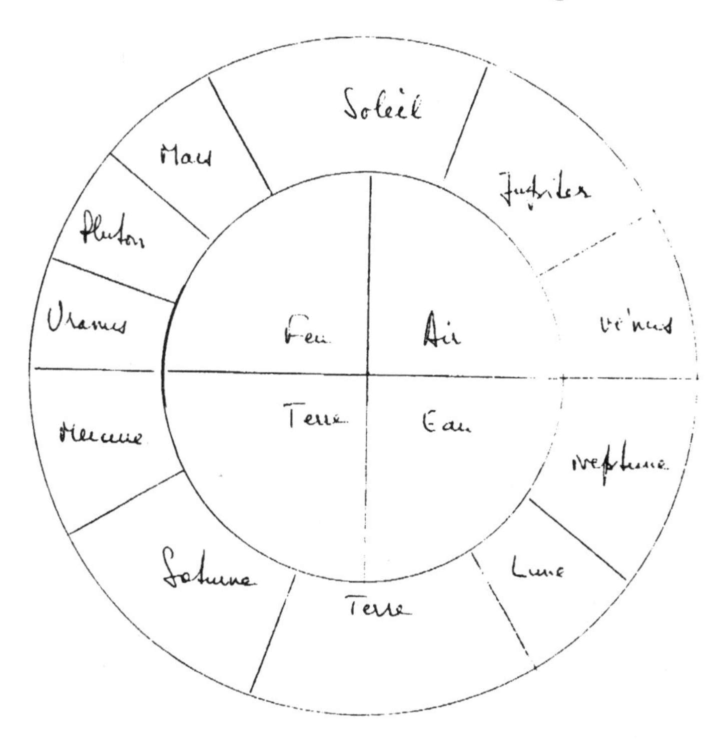

Fig 91: *Remarquez l'opposition bien figurée sur les diamètres imaginaires entre Soleil et Terre, Saturne et Jupiter, Lune et Mars, Uranus et Vénus etc., ce qui correspond à la diversité des caractères respectifs.*

Soleil

A tout seigneur, tout honneur. Le Soleil est source de lumière et de vie. En sanscrit, le mot qui désigne Dieu est synonyme de lumière et parmi les peuples à mythologie astrale, le Soleil symbolise le père et donc le pouvoir et l'autorité! Il suffit de regarder les dessins d'enfant pour y découvrir presque toujours un superbe soleil.

Mais cette étoile sans laquelle nous n'existerions pas est comme la langue d'Esope : c'est la meilleure et la pire des choses car le Soleil peut détruire la vie. C'est pourquoi la personnalité marquée par ce type peut être étouffante et despotique. Le type « Soleil » sait qu'il distribue la lumière et finit par croire qu'il est lui-même la lumière. Son écriture révèle souvent une légère condescendance. Soleil ne va pas vers les autres, il faut aller vers lui. Il a du goût pour les manières élégantes, voire hautaines. D'une façon générale, il a le culte des formes, avec tout ce que cela peut entraîner d'un peu figé et donc de manque de mouvement et d'allant. Le souci d'esthétique ou d'élégance morale peut être associé à une conduite un peu artificielle et compassée qui nuit à la spontanéité et à la sincérité

Soleil est un signe de feu, souvent lié à un autre signe d'air tel que Jupiter. Dans ce cas il convient de tenir le scripteur pour un être fier mais chaleureux et actif. Soleil est en outre assez soucieux de lui-même car l'amour des formes révèle très souvent l'amour de soi. Regardez comme les culturistes qui veulent ressembler à Apollon examinent avec soin leurs abdominaux ! Les hommes qui surveillent le moindre mouvement de leurs muscles en se regardant des pieds à la tête dans un grand miroir ne sont pas souvent des altruistes ! Nous ne serons donc pas surpris de trouver des signes typiques chez Soleil qui confirment ces traits de caractère.

L'ordonnance

En ce qui concerne l'ordonnance, c'est-à-dire la façon dont l'ensemble d'un écrit - par exemple une lettre - est disposé, il existe un souci d'harmonie. Rien n'est plus contraire à « Soleil » qu'une disposition à la diable, sale et désordonnée. Les alinéas sont nets, la marge de gauche est large et le tout est aéré sans exagération.

La vitesse

La vitesse est plutôt posée ou au plus accélérée. Nous avons vu que l'écriture Soleil a quelque chose de contraint et d'un peu artificiel. Ce n'est pas un graphisme qui donne l'impression d'un fleuve pressé d'arriver à son embouchure. Il a quelque chose d'intemporel.

La dimension

La forme est typique aussi bien par la dimension souvent moyenne mais dirigée vers le Ciel. L'étrécissement n'est pas rare surtout dans les majuscules très marquées et mises en relief. Les hampes sont surélevées et révèlent bien ce côté idéaliste du scripteur Soleil, étant entendu qu'il ne faut pas comprendre ce mot dans un sens trop favorable. Le mot idéaliste ici est pris dans son acception philosophique, avec ce que cela comporte d'éloignement de certaines réalités.

La fréquence de l'arcade

Mais l'écriture Soleil a encore une autre caractéristique : la fréquence de l'arcade. On sait que la présence de l'arcade dans une écriture d'adulte de bon niveau laisse supposer l'orgueil et la volonté de se tenir à distance de tout ce qui n'est pas valorisant.

L'écriture arquée n'est pas la preuve que le scripteur appartient à la catégorie Soleil mais elle constitue une indication précieuse lorsque les autres aspects sont présents. La pression dans Soleil est assez forte. On retrouve là le besoin de s'affirmer et de marquer ou éblouir son entourage. Soleil déteste passer inaperçu mais il n'a pas toujours assez d'entregent et d'adresse dans la vie sociale pour être apprécié comme il le veut.

En tout cas, il n'est pas passif ni influençable. Il s'efforce de créer et son intelligence n'est pas de type mnésique. Soleil ne passe pas son temps à engranger des connaissances et à s'imbiber de tout ce qu'il lit ou observe.

La présence des arcades rappelle bien cette espèce de barrière ou au moins de distance qu'il entend mettre entre lui et le monde extérieur. Il se préserve des contacts qu'il estime indigne de lui. Si d'aventure Soleil est associé à Saturne, il y a une antinomie radicale entre les conduites et donc un conflit intérieur permanent. L'un tient beaucoup à son rayonnement et l'autre à sa solitude orgueilleuse, deux aspirations difficiles à concilier

La direction
Disons enfin que la direction est plus souvent verticale que dextrogyre. Si elle est un peu inclinée elle garde sa raideur (fig. 92).

Jupiter

Dans « La besace », La Fontaine s'exprime ainsi :
« Jupiter dît un jour: que tout ce qui respire
S'en vienne comparaître aux pieds de ma grandeur
Si dans son composé quelqu'un trouve à redire,
Il peut le déclarer sans peur;
Je mettrai remède à la chose ».

Il y a beaucoup de vrai dans ces quelques lignes à propos du caractère de Jupiter. Ce personnage - Dieu suprême des Romains - qui appartient au groupe hippocratique des Sanguins et correspond à un signe d'air est en effet un homme d'échanges et de panache. C'est un extraverti quelque peu fanfaron et très peu sédentaire pour qui la solitude peut devenir un supplice ou tout au moins une épreuve.
Jupiter est un respiratoire qui aime le grand air et qui supporte mal les espaces confinés.
Il a un besoin absolu d'entretenir des relations avec l'extérieur et il ne comprend l'absence de cordialité chez les autres. Sa sociabilité empreinte de superficialité est l'un de ses moyens de prédilection pour se faire valoir. Il est en effet très désireux

le 2 Avril 91

Voilà le premier exemple
d'une écriture de [illegible]

et me suis dit que peu im-
-portait l'examen, ce qui était
important pour moi, c'est
d'avoir compris et confirmé

Ces expériences enrichissantes jointes à mon envie d'entreprendre m'o.
convaincu que je pouvais apporter une contribution positive, au develo-
ppement nationnal ou européen d'une PME. D'où ma motivation à
rechercher un nouveau défi, à l'extérieur de mon groupe, dans l'impossi-

Fig. 92: Écritures Soleil

de réussir dans la vie sociale et professionnelle. Pour y parvenir, il s'emploie à gagner des sympathies et il y réussit fort bien car il n'est ni persifleur ni changeant.
Ce n'est pas un être tourmenté par les fins dernières ou les problèmes métaphysiques. Le maniement des idées et des abstractions d'une façon générale - c'est le cas de le dire - l'intéresse peu. Il faut dire que sa forme d'intelligence l'incline plus à vivre qu'à philosopher. D'ailleurs il se pique volontiers de réalisme et de lucidité. Ce qu'il oublie c'est que ses capacités d'observation sont en effet de bonne qualité lorsqu'elles s'exercent sur les choses ou les faits mais pas du tout sur les êtres.
Il vérifie cette constatation assez banale : les extravertis sont moins sagaces, moins pénétrants que les introvertis. Ce qui est fâcheux c'est que c'est précisément l'un des domaines où Jupiter pense exceller.
Ce type de personnage ne peut pas avoir une opinion très pertinente des êtres parce qu'il ne peut porter un jugement sans le charger de sentiments et de passion. Jupiter a le cœur chaud, ce qui est bien, mais il a la tête encore plus chaude. Or les bons connaisseurs de caractères ont le cœur chaud mais la tête froide. Jupiter ne peut s'empêcher d'introduire des éléments de préférences personnelles dans les appréciations qu'il porte. Au fond, il aime que les autres aient les mêmes réactions que lui.
Il supporte mal et ne comprend rien à celui qui est taciturne, sombre et triste. Jupiter attribue des intentions sinistres à celui qui ne parle pas et soupçonne de sombres desseins quiconque est réservé et distant. Jupiter confond la sincérité avec la spontanéité.
Malheur aux personnes froides et muettes qui ont pour chef hiérarchique un Jupitérien ! Il prendra la personne qui travaille dans le silence et sans esbroufe pour quelqu'un de sournois dont il convient de se méfier. En revanche, il sera très sensible - tout en affirmant le contraire - aux flagorneries habiles.

Ce personnage haut en couleurs tient beaucoup à l'estime de tout le monde et c'est un point sur lequel il est vulnérable.

Son émotivité est souvent forte et l'intensité de son activité contribuent à sa réussite sociale. Il risque donc d'abuser de ses forces et d'être brusquement frappé par des découragements car il s'engage à fond dans ce qu'il fait. Sa confiance en lui-même est énorme et il n'est généralement pas soupçonneux. Contrairement à ce qu'il croit lui-même il peut être facilement berné.

S'il s'agit d'un homme, sachons bien qu'une petite femme douce et maligne peut en faire ce qu'elle veut. La faconde et les rodomontades de Jupiter n'y feront rien…

Mais quelle est donc son écriture?
L'ordonnance est conventionnelle mais on voit tout de suite que le scripteur a tendance à occuper le terrain aussi bien par l'importance des dimensions que par l'ampleur du mouvement.

La direction est dextrogyre; l'ensemble du dynamisme. L'écriture n'est jamais gauche et assez rarement verticale.

La forme est caractérisée par la présence de boucles, de lassos, de volutes et par un corps médian nettement prononcé. Les courbes prévalent nettement sur les angles.

Bien entendu la vitesse est accélérée ou rapide.

Quant à la pression, elle est le plus souvent forte et le trait est charnu, épais, au moins nourri.

Rien n'est plus éloigné de l'écriture Jupitérienne qu'un tracé froid, statique ou un trait cérébral, chétif et mince (fig. 93).

demande des renseignements sur
l'opéra ! Avez vous une chance –
je ferai ce que vous nous direz –

Fig. 93: Écriture Jupiter.

Je ne suis pas en mesure de remplir tous
les documents demandés et je n'arrive pas
à le joindre au téléphone (à vos moments
de disponibilité!!)

Fig. 93: Écriture Jupiter-Vénus.

Vénus

Ce mot latin vient du latin « venustas » qui signifie la grâce. Il suffit de s'en souvenir pour comprendre d'emblée quelles peuvent être les grandes composantes du caractère de Vénus, même s'il s'agit d'un scripteur de sexe masculin. Il existe en effet des hommes qui détestent les affrontements et préfèrent contourner les obstacles plutôt que de les attaquer de front

Signe d'air

Vénus est un signe d'air, donc apparenté au tempérament sanguin. Nous savons ainsi que le personnage cherche à plaire et à se faire aimer. Il lui est impossible de ne pas éprouver de sentiments ni de tenter d'en faire ressentir aux autres.
Dans l'œuvre de Moulière intitulée « Les Femmes Savantes » - dont la race n'est pas en voie d'extinction - écoutez ce que dit Henriette, vénusienne typique, à sa sœur Armande:

« Et qu'est-ce qu'à mon âge on a de mieux à faire,
Que d'attacher à moi, par le titre d'époux,
Un homme qui vous aime et soit aimé de vous,
Et de cette union, de tendresse suivie,
Se faire les douceurs d'une innocente vie?
Ce nœud, bien assorti, n'a-t-il pas des appas? »

Vénus n'a aucune attirance pour les idées pures et se préoccupe d'instinct de tout ce qui est tangible. La catégorie des « Sanguins » à laquelle appartient Vénus l'incline à rester bien ancré dans les réalités.
L'affectivité altère moins ses jugements que chez Jupiter. Pour Vénus, les sentiments ne sont pas systématiquement à l'origine des opinions émises car l'amour ou la compassion lui inspire des idées justes à cause de leur mesure.

La Balance
Les adeptes de l'Astrologie rapprochent Vénus de la Balance, et il y a en effet un souci d'équité, d'équilibre et de bienveillance chez Vénus. Nous verrons d'ailleurs que cette pondération et cette indulgence sont bien révélées par les signes de l'écriture. Il est très faux de s'imaginer que l'exercice de la froide raison n'engendre que des opinions justes. Un sentiment ou une passion peuvent nous faire deviner des réalités que le raisonnement n'inspire pas. Vénus peut faire preuve de perspicacité à l'égard des êtres précisément par amour car il est une des voies de la connaissance. Les hommes de type Vénus sont plus adroits que d'autres - tout au moins plus que Mars ou Saturne - pour une raison assez simple. Le simple fait de chercher à éviter les dissensions et de gagner des amitiés oblige à un intérêt et donc à une observation de la conduite des autres. Vénus ne se complaît pas dans un fier isolement. Il veut des rapports lubrifiés partout où il passe. Sa souplesse et ses rondeurs lui font fuir tout excès de langage et toutes les manières brusques.
Il y a beaucoup de Vénus dans le « Philinte » du Misanthrope.

C'est un conciliateur.
« Mon Dieu, des mœurs du temps mettons-nous moins en peine,
Et faisons un peu grâce à la nature humaine;
Ne l'examinons point dans la grande rigueur,
Et voyons ses défauts avec quelque douceur.
Il faut, parmi le monde, une vertu traitable;
A force de sagesse on peut être blâmable;
La parfaite raison fuit toute extrémité
Et veut que l'on soit sage avec sobriété. »

Aspects typiques de l'écriture vénusienne
L'ordonnance est conventionnelle et donc conforme à une présentation bien léchée. Tout respire la mesure et l'équilibre.

La direction des lignes est droite mais le plus souvent inclinée légèrement. C'est un signe particulièrement révélateur du besoin d'échanges que ressent le scripteur et qui risque de le rendre dépendant. Vénus fait des concessions à autrui parce qu'il fuit les atmosphères lourdes et n'aime pas la polémique. Lorsque l'écriture est droite, elle n'est jamais tendue ni rigide. La forme prévaut sur le mouvement. Ce qui domine ici est la présence de guirlandes plus ou moins profondes. Cet aspect révèle le besoin de recevoir des hommages et des sentiments mais aussi une certaine candeur si la zone médiane est prédominante.

Les écritures en guirlandes dans un niveau intellectuellement modeste ne peuvent appartenir qu'à des personnes très désireuses d'écouter des propos aimables ou tendres et peu enclines à l'examen critique de ceux-ci.
Un dévoiement de la guirlande est constitué par les formes annelées. Là encore, l'interprétation sera liée au niveau général. Retenons que l'écriture annelée fait peser un soupçon de séduction dolosive de la part du scripteur. Dans ce cas, le graphologue est en présence d'un Vénus plus ou moins enjôleur

qui cherche sinon à berner mais du moins à séduire.
Si la forme de l'écriture contient des calices ou - si l'on veut - des coupes, l'interprétation est ambivalente : le scripteur veut à la fois offrir et recevoir, mais là encore il s'agit avant tout du domaine du cœur. Dans la Bible, Dieu donne à l'homme une coupe censée contenir son destin mais dans le chapitre de l'Apocalypse elle contient la colère de Dieu ! Le premier personnage des Tarots, c'est-à-dire le Bateleur, prêt à affronter l'existence muni de quelques atouts ne manque pas de posséder une coupe déjà posée sur sa table.

Si l'on observe maintenant la continuité de l'écriture Vénus, on découvre une grande homogénéité de l'ensemble. Vénus est fidèle à lui-même. Le trait est doux et curviligne et il le reste tout au long du graphisme.

Souvent, nous avons affaire à une écriture dite groupée ou liée qui révèle une permanence dans l'être et beaucoup de savoir-vivre. Vénus sait faire la part des choses et prend le temps de réfléchir avant de prendre une décision. Cette écriture groupée indique le contrôle et la maîtrise du premier mouvement. Les impulsions, les réactions brutales et soudaines ne sont pas des conduites vénusiennes.

D'ailleurs, la vitesse de l'écriture est plus souvent posée qu'accélérée. La prudence de ce type d'écritures et son absence de pugnacité se retrouvent ici. Vénus ne pêche pas par excès d'impatience. C'est le graphisme des personnes très marquées par les événements passés et préoccupées par les situations à venir.

Vénus a la coquetterie de faire semblant de bouder pour que l'on revienne vers elle (ou vers lui).
La pression de cette écriture n'est ni ferme ni très lourde. Il y a plus ou moins de mollesse en elle et le scripteur - là comme ailleurs - ne cherche pas inconsciemment à vaincre la résistance qu'oppose le papier à son propre effort.

Vénus n'est ni un conquérant ni un obsédé de puissance. Il cherche à plaire, il s'insinue et se faufile avec plus ou moins d'habileté mais la persévérance est souvent présente. Vénus est discrète et connaît les moyens pour attirer l'attention sans en avoir l'air. Lorsqu'elle se tait - s'il s'agit d'un scripteur féminin - c'est parce qu'elle devine ce qu'à exprimé Sophocle voici plus de 2500 ans : « Le silence est la parure de la femme » (fig. 94).

rencontrer et vous fournir tous autres
renseignements.
Veuillez agréer, Messieurs, l'expression
de mes sentiments distingués.

Fig. 94: Écritures Vénus.

Lune

Pour illustrer notre célèbre mélodie : « Au clair de la lune » il est d'usage de dessiner Pierrot, tout de blanc vêtu. En latin, candor signifie blancheur. Il y a de la candeur dans le caractère Lune. Chez les Romains, ceux qui étaient candidats à une fonction publique devaient être revêtus de blanc. De nos jours, c'est plutôt à la fin de leur vie politique qu'ils doivent être blanchis.
Pourquoi donc la tradition a-t-elle tendance à associer la naïveté, la passivité et la dépendance à cet astre qui a donné lieu à des expressions assez peu flatteuses? Un pêcheur de lune est un être naïf et crédule.

Il est vrai que la Lune ne produit rien par elle-même. Elle est notre satellite et la seule lumière qu'il lui arrive de dispenser n'est due qu'à l'emprunt qu'elle fait au soleil. Elle reflète et

transmet. De temps en temps elle se dérobe à nos yeux ou elle éclaire plus ou moins faiblement nos nuits.
Ne soyons donc pas surpris que le caractère Lune ait tendance à la passivité tant du point de vue intellectuel qu'affectif. Ce type de personnages peut accumuler beaucoup de connaissances mais il n'a guère d'esprit critique.

Lune est un signe d'eau et les caractères qui s'y rattachent ont tendance - comme tous les liquides - à adopter la forme du vase qui les contient. C'est un tempérament lymphatique. Vous placez un « Lune » pur dans un milieu qui a une certaine coloration idéologique ou politique, il l'adoptera. C'est un être qui ne sait pas sécréter des anticorps contre les poisons que sont les idées fausses. Lune est toujours disponible pour basculer dans le camp du vainqueur. C'est un personnage dont la pensée n'est pas marquée par la logique rationnelle. Sa tolérance ne prend pas sa source dans une éthique supérieure mais n'est que le résultat d'un manque de conviction. Lune est plutôt fuyant non par hypocrisie mais par aversion pour les engagements de tous ordres. Ce n'est pas un doctrinaire qui se fait tuer sur place plutôt que de renoncer à une croyance. Il va de soi que cette souplesse, cette plasticité contribuent à l'adaptabilité de « Lune » en tous milieux. Rien ne lui est plus pénible que les affrontements. C'est pourquoi il est pratiquement impossible de découvrir des signes martiens dans son écriture.

Son écriture
Celle-ci est caractérisée par une dimension plutôt petite. Il ne faut pas oublier que ce type de scripteur est un non-actif et qu'il n'a nulle envie de gaspiller ses forces d'ailleurs limitées. Si les jambages sont longs, ils donnent l'impression de pendre mollement.

La direction peut être renversée, droite ou inclinée. Ce n'est donc pas à partir de la direction qu'il faut établir d'emblée l'appartenance à la catégorie Lune. Si la direction est renversée, le côté rétif et passif du personnage est indubitable. Si elle est inclinée, le graphologue peut penser que le scripteur entend ne pas rester isolé et a une volonté de s'adapter aux êtres et aux circonstances. L'aspect de la direction est fréquemment flottant ou sinueux. L'observation à la loupe fait découvrir peu de stabilité sur l'axe horizontal. Cette particularité confirme bien la souplesse d'adaptation du scripteur.

L'écriture Lune peut avoir des discontinuités et être groupée - c'est-à-dire séparée par syllabes - mais elle est souvent liée et garde un aspect enfantin. Cette composante puérile évoque bien la fraîcheur ou la crédulité du personnage. Mais le plus révélateur de cette écriture est constitué par sa forme ou plutôt ses formes. L'angle est pratiquement absent et le lecteur se souvient que l'angulosité est un des indices de la volonté et de la combativité.

Par ailleurs, c'est la filiformité qui domine. Nous avons donc là l'une des meilleures preuves du manque de convictions et du peu de goût pour les responsabilités.

Le lecteur se souvient que nous avons attiré son attention (ch. 7, § 7) sur le fait qu'une écriture filiforme peut appartenir à un scripteur dynamique surtout si le fil se trouve à l'intérieur des mots et s'il est destiné à dessiner impatiemment une consonne redoublée telle que le m. Il reste que l'écriture filiforme associée à une pression molle et à une direction fluctuante est bien l'indice d'un caractère influençable et d'une personnalité peu structurée.

Si l'on examine maintenant la vitesse, il est logique qu'elle ne soit pas rapide. Lune n'est pas un être très vif ni actif. L'écriture est lente ou posée le plus souvent et rarement accélérée. Dans ce dernier cas il importe d'en tenir compte pour apprécier la personnalité du scripteur. Il peut y avoir de la négligence dans l'exécution des tâches. S'il y a de nettes variations dans le mouvement d'allure il s'agit d'irrégularités dans les efforts et une variabilité d'intensité dans l'action. Il faut dire que Lune est un peu féminin et qu'il y a donc des indices de mobilité et de versatilité dans ce type de graphismes.

Quant à l'utilisation de l'espace, c'est-à-dire l'ordonnance, le graphologue remarquera un certain envahissement de la page. Cette caractéristique évoque bien le côté un peu puéril du personnage lunaire. En tout cas, les alinéas ne sont pas tous respectés. L'ensemble du graphisme ne suggère pas à l'esprit des idées de méthode et de construction. C'est le côté fluctuant du caractère qui transparaît. Les blancs entre les lignes apparaissent nettement. Lune est rêveur ou imaginatif. Il est parfois créateur (fig. 95).

facile. Mais je compte sur vous
pour m'apporter vos conseils. J'ai eu
beaucoup de mal à trouver la
symbolique dans cette écriture
n'ayant pas d'exemples précis sous

d'avenir, et serais vivement intéressé par un emploi
au sein de votre cabinet.
Une bonne formation comptable et une expérie
de plus de sept années en entreprise m'amènent à
envisager de nouvelles responsabilités.
Dans l'attente de vous rencontrer pour vous

Fig 95: Écritures Lune.

Neptune

C'est un Dieu romain qui fut identifié au Poséïdon des Grecs. Son nom viendrait de « nebula », la nuée. On le représente sous la forme d'une
sorte de géant majestueux tenant en main le trident. Cet emblème signifie que Neptune domine le monde des eaux. C'est à la fois une fourche à trois dents - remarquons au passage la présence de ce chiffre que l'on retrouve dans beaucoup d'expressions de la spiritualité telles que La Trinité - et un sceptre, instrument de puissance.
Les hommes ont toujours éprouvé le besoin de confier à un Dieu le soin d'apaiser la mer: « Jésus monta dans une barque et ses disciples l'accompagnaient. Mais une forte tempête s'éleva sur le lac, au point que les vagues passaient par dessus bord. Jésus, pendant ce temps, dormait. Les disciples s'approchèrent de lui pour le réveiller; ils criaient: « Seigneur, au secours, nous sommes perdus! » Mais Jésus leur dit: « Pourquoi avez-vous peur, gens de peu de foi! » Alors il se dressa, se mit à invectiver le vent et la mer et il se fit un grand calme. Ces hommes en étaient dans la stupeur: « Qui est donc celui-ci pour que les vents et la mer lui obéissent! » (St Mathieu - VIII).

Signe d'eau

Il n'y a donc pas de difficulté à admettre que Neptune est un signe d'eau! Ce tempérament est plutôt lymphatique. Neptune est un être plastique et donc très adaptable en tous milieux. Ses réactions sont différées et tout fait extérieur lui laisse des impressions durables. S'il est émotif, il cherche à dissimuler les perturbations qu'il ressent. S'il ne l'est pas, il appartient à cette catégorie de personnes impassibles. Il acquiesce à tout ce qui lui est dit et paraît dépourvu de combativité. Il est vrai qu'il cherche à concilier les contraires et par dessus tout à se fondre dans n'importe quelle communauté. Il prend la forme et la couleur du milieu qui l'accueille.

Neptune est souvent un philanthrope ou un idéaliste qui cherche à apaiser des souffrances ou à apporter de la douceur aux autres. C'est pourquoi il passe pour un esprit de tendances religieuses. Malheureusement, le sens religieux n'est pas facile à préciser et en tout cas il est multiforme. Il n'est donc pas superflu de rappeler que les esprits religieux seront toujours partagés entre au moins deux grandes catégories. Il y a le genre mystique, contemplatif et introverti qui ne veut que vénérer Dieu et le prier pour qu'il aide les hommes. Il y a le genre qui veut aider les va-nu-pieds à manger à leur faim. Ces deux aspects de la religiosité sont magistralement éclaircis dans la fameuse Epître aux Romains de St Paul, dans laquelle sont confrontées la foi et les œuvres.
Comme notre époque met l'accent sur l'action et l'efficacité, inutile de dire que les personnes qui veulent une application de la religion dans la vie sociale sont mieux appréciées que d'autres. Lorsque les Neptuniens veulent travailler à mieux répartir les richesses ou à sortir des gens de la débauche, ils sont attendrissants et passablement utopiques. Leur esprit dépourvu de logique les amène parfois à se tourner vers un mysticisme de pacotille. Si Neptune n'a aucune formation scientifique ou simplement une absence de rigueur dans le raisonnement il peut s'orienter vers un ésotérisme extravagant comme il en existe dans certaines sectes.

Il est donc très recommandé à toute personne qui étudie une écriture à dominante neptunienne de chercher à préciser en quoi consiste le sens religieux du scripteur. S'il s'agit d'un simple altruisme il ne faut jamais perdre de vue que cette disposition de caractère n'est nullement une preuve d'élégance de cœur. On peut vouloir s'occuper des déshérités pour assouvir un instinct de puissance et parce que l'on est sûr d'être en état de supériorité sur eux. Un certain nombre de philanthropes sont des gens fielleux. Ils prétendent aimer tout le monde mais ils le disent avec un rictus.

Il va de soi que les Neptuniens ne sont pas tous faits de la même étoffe.
Il en est de très sincères et animés des meilleures intentions.

Le lecteur, s'il veut s'en assurer, doit se soumettre à cette constante discipline du graphologue : ne tirer des conclusions qu'en fonction de l'ensemble et non à partir d'un seul aspect. Lorsque vient le moment de déceler la forme d'intelligence d'une écriture Neptunienne il est bon d'avoir à l'esprit l'aphorisme de La Rochefoucauld dont nul ne doit ignorer la pertinence : « L'esprit est la dupe du cœur. » L'esprit de Neptune illustre très bien cette maxime car il est totalement dominé par les sentiments. N'oublions pas que le mot Neptune vient de nebula, la nuée, ce qui en dit long sur la clarté de la pensée.

L 'ordonnance
L'ordonnance d'une page est marquée par les caractéristiques suivantes : l'ensemble du graphisme est plutôt débordant et la marge de gauche est réduite. Les espaces entre les mots et entre les lignes sont importants.

La direction
La direction est serpentine et c'est ce qui donne cette impression de flottement. Cette alternance de convexités et de concavités correspond à une inégalité de vitalité, d'humeur et même d'intentions. La scripteur est changeant moins dans les idées que dans la conduite ou les états intimes.

Mais cette sinuosité correspond bien à l'absence de fermeté doctrinale et à une bonne insertion en tous milieux. Neptune est souvent extraverti et il n'est donc pas surprenant de lui découvrir une grande dimension de lettres, ce qui confirme le besoin d'échanges sociaux. Toutefois, le Neptunien attire des sympathies plus par son indulgence et son oubli de soi que par la puissance de son rayonnement.

La pression

D'ailleurs, la pression n'est pas ferme. Le tracé est nourri et même pâteux mais non pas énergique. Cette épaisseur correspond à un besoin d'être en harmonie avec le milieu et aussi le peu d'inclination pour la pensée pure. Neptune n'est pas dogmatique et évolue mal dans les abstractions. Il ne cherche pas à créer de systèmes rigides ni à les imposer aux autres. Ses gestes et son attitude sont plus « ronds » que carrés comme l'indique la forme des lettres. La courbe domine et l'angle est absent. L'écriture s'étale et cherche à se développer plus en largeur qu'en hauteur, ce qui est un des signes de l'extraversion. Les guirlandes révèlent la bienveillance et la qualité de l'accueil ainsi que la tendance à gober les belles paroles. Neptune est une personne qui admire et qui n'a aucun penchant pour le brocard et encore moins le sarcasme. Il admire et contemple de façon béate même si son niveau d'intelligence est élevé.

C'est pourquoi le graphologue peut hésiter devant tous ces aspects entre le rangement de l'écriture dans Lune ou Neptune. Les points communs sont nombreux. Le meilleur moyen de faire la distinction est de penser à l'aspect de l'écriture neptunienne. Par ailleurs, la zone supérieure des lettres est souvent prolongée, ce qui n'est pas le cas de l'écriture Lune, et les majuscules sont souvent importantes. L'un des autres moyens pour distinguer cette écriture de celle de « Lune » est d'observer la vitesse. Celle de Neptune peut être rapide - même si ce n'est pas le plus fréquent - mais la vitesse de Lune ne dépasse pas l'accélérée.

La continuité

Quant à la continuité, ce n'est pas sur ce point qu'il faut s'attarder pour tenter de distinguer les deux écritures car elles présentent de grandes similitudes aussi bien par les liaisons que par les juxtapositions et le groupage.

De toutes façons, il est exceptionnel qu'une écriture appartienne exclusivement à une seule planète. Tout l'art du graphologue consiste à découvrir les dosages et à en tirer un enseignement sur le caractère du scripteur. Les tendances idéalistes et religieuses ne sont pas particulières à Lune qui peut réussir dans les affaires, ce qui sera plus difficile et plus rare chez Neptune, moins superficiel (fig. 96).

sais où orienter mes recherches.
Je serais prête à étudier toute proposi-
-tion et peut-être, auriez-vous la gentillesse
[illegible] conseils ou de m'in.

près d'un an.
J'ai suivi les cours de grapho-psycho.
à Nice en cours oraux et j'ai déjà
reçu l'attestation d'étude, qui ne
comporte aucune mention, ni moyenne

Fig. 96: Écritures Neptune

La Terre

« Avoir les pieds sur terre » est une expression que l'on n'a besoin d'expliquer à personne, mais comme le graphologue ne peut se contenter d'idées vagues qui prennent leur source dans les préjugés nous préciserons tout de même ce qu'il faut entendre par cette expression à propos du scripteur dénommé « Terre ».

La première observation doit souligner que sa forme d'intelligence a pour domaine de prédilection l'observation des objets et des faits. Cette remarque ne doit surtout pas inspirer au lec-

teur que notre individu « Terre » a un meilleur jugement que d'autres. N'oublions pas qu'une certaine forme d'esprit élémentaire tient les personnes qui travaillent sur les objets et n'ont d'autre préoccupation que matérielle pour plus réaliste que celles dont les goûts vont aux idées et aux manifestations artistiques. Il existe un type d'individus - comme par exemple les artisans - habitués à modeler ce qu'ils ont sous la main et à lui faire subir des transformations tout en étant très peu versé dans les réalités humaines, économiques ou politiques. Une personne réaliste n'est pas du tout quelqu'un qui ne s'occupe que de choses concrètes.
C'est pourquoi il ne faut pas se précipiter sur un diagnostic de réalisme dès que l'on se trouve en présence d'une écriture Terre. Disons que ce type de personnage n'a aucun goût pour le rêve, la poésie et les raffinements inutiles. Bien entendu, un intellectuel peut avoir une écriture de ce type ! D'ailleurs, personne n'a jamais réussi à trouver une définition satisfaisante de l'intellectuel ! L'utilisation de ce mot comme nom commun est récente puisqu'elle ne date que de la fin du 190 siècle et l'opposition avec le mot manuel n'a guère de sens et l'on peut faire remarquer qu'un cerveau de l'envergure de Pascal n'eut aucune répugnance à fabriquer une machine ! Ce qui est certain c'est que Terre n'aime pas s'envoler vers les illusions ni s'amuser avec les mots ou les idées. L'intelligence verbale n'est pas ce qui caractérise sa forme d'esprit. Il n'est d'ailleurs pas très vif dans ses réactions. C'est un être assez peu mobile tant dans le domaine de la pensée que dans sa conduite. Les métiers sédentaires lui conviennent sûrement mieux que ceux où les déplacements sont fréquents. Terre n'est pas un nomade qui plante sa tente là où ses caprices le conduisent. Il aime s'enraciner et prévoir. Terre n'admet pas de vivre au jour le jour et c'est pourquoi son attirance pour l'accumulation des biens n'est pas rare chez lui. S'il aime l'argent, c'est pour le thésauriser et non pour le dilapider. Terre est un être qui vit à la fois avec le passé et l'avenir. La frivolité et l'insouciance

sont totalement éloignées de ses tendances et il n'a guère de sympathies pour les joueurs ou les imprévoyants. L'acharnement qu'il met à agrandir son patrimoine n'en fait pas toujours un être cupide et sans générosité. La simple constatation de l'appartenance d'un scripteur à la catégorie des « Terre » n'implique pas fatalement un caractère mesquin et ladre. La vérité c'est qu'il n'est pas spontané et n'a pas d'engouements subits pour les choses ni d'attirance fulgurante pour certains êtres. Terre est un personnage qui suppute à quoi et vers qui il s'engage. Il ne prend de décisions que longuement mûries. Au moins est-on sûr qu'il n'y a guère de chance pour qu'il en change. En d'autres termes ce n'est pas un être versatile ou léger. Il est constant dans ses goûts et dans ses préférences. Sa stabilité est certaine à tous points de vue.
Cette sorte de lourdeur ne va pas sans inconvénients car Terre n'est pas très souple et peut même être buté ou borné. Il a des épaisseurs irritantes par manque d'agilité. S'il dispose d'un pouvoir hiérarchique il lui est difficile de modifier l'opinion qu'il a d'un individu même si sa fausseté lui est démontrée.
La permanence de ses sentiments risque de l'enfermer dans des erreurs. Au moins est-on sûr qu'il n'est guère influençable. Il est assez vain de dénigrer devant lui quelqu'un pour qui il a de l'estime. C'est même le meilleur moyen de s'en faire un ennemi. Sans être vraiment chevaleresque, Terre est fidèle à ses compagnons et compagnes et peut se fâcher tout rouge pour les défendre. Sans le savoir, il tient ses amis et connaissances pour une partie de son patrimoine et donc ne veut pas que qui que ce soit y touche!
D'ailleurs, il aime bien faire savoir que l'on peut s'appuyer sur lui.
Terre, qui aime tant la sécurité cherche à faire connaître que l'on peut la trouver auprès de lui. Il est donc logique que cet être ait l'esprit de famille. L'épouse qui lui conviendrait le moins aurait le caractère de la Célimène du Misanthrope. Il faut à Terre une personne solide et sans coquetterie. Si Terre

est une femme, la vie avec un écervelé joueur serait intenable. Le gaspillage la ferait souffrir car il représenterait pour elle l'un des aspects de l'insécurité.
Nous retrouverons donc dans les genres Jaminiens et les espèces les diverses faces du caractère que nous décrivons.

L'ordonnance de la page
L'ordonnance générale de la page Terre est marquée par une impression d'ordre et de stabilité. Il y a peu de blancs mais le graphisme n'envahit pas la page et préserve l'existence de marges à droite - prudence et circonspection - et à gauche - respect de certaines conventions sociales.

La dimension des lettres
La dimension des lettres n'est jamais grande. L'hypotrophie des hampes est une caractéristique de l'écriture Terre. Si la dimension est moyenne, cet aspect des hampes est aussi net. C'est ce que l'on appelle l'écriture basse. Terre étant actif, les jambages remontent vers la zone médiane et ne pendent pas.

La direction des lignes
La direction des lignes peut adopter l'une des trois possibles, c'est-à-dire renversée, droite ou inclinée mais elle est souvent droite.

La continuité
La continuité, elle aussi, peut être différente selon les cas. Une écriture Terre peut être liée, juxtaposée ou groupée. Ce qui est certain c'est que c'est un graphisme homogène, sans fantaisies. Il n'y a ni volutes, ni lassos. L'ensemble est dépouillé mais peut n'être pas simplifié au sens que la graphologie donne à ce mot lorsque l'écriture révèle déjà un bon niveau intellectuel.

Par conséquent, la forme a quelque chose de fidèle aux normes scolaires même si elle est frappée d'un sceau bien personnel. Il peut y avoir des arcades ou des guirlandes, ce qui démontre que le goût de la sécurité n'est pas incompatible avec une certaine bienveillance dans l'écoute. La courbe a tendance à prévaloir sur l'angle. Terre se prémunit contre les aléas du Destin par ses arcades mais n'est pas fermé à la souffrance d'autrui pour autant.

La pression

La pression de l'écriture est, elle aussi, très caractéristique. Quelle qu'en soit la fermeté, l'écriture de Terre est au moins nourrie et souvent pâteuse. C'est là l'indice du goût pour les contacts avec ce qui est concret et non pas intangible.

La vitesse

Selon le niveau général, la vitesse est lente, posée ou accélérée.

Remarquons que Terre est plus souvent un visuel qu'un auditif et un amateur de satisfactions gustatives. Il rappelle ce que disait Chrysale : « Je vis de bonne soupe et non de beau langage », mais plus encore le vieil adage plein d'une vérité intemporelle :

Primum vivere deinde philosophari (fig. 97).

enrichissante, je recherche un poste commercial.

Agée de 37 ans, je suis disponible de suite. Dynamique et tenace, j'aime négocier, vendre et fidéliser la clientèle. Par goût des contacts, j'aime également animer, motiver et

liberté que j'ai prise pour vous contacter à ce sujet, et en espérant que vous voudrez bien me répondre, je vous adresse, avec mes remercie-ments anticipés mes sincères salutations.

Fig. 97: Écritures Terre.

Saturne (signe de Terre-Minéral)

Si l'on se souvient qu'il s'agit d'un Dieu de la mythologie romaine identifié au dieu grec Kronos - le Temps - et fils d'Ouranos - le Ciel - et de Gé - la Terre - on a déjà un aperçu de la dualité de caractère de Saturne, à la fois attiré par le monde des idées et ramené aux tristes réalités d'ici-bas.

Les « saturnales » étaient des fêtes instituées à Rome en souvenir de l'âge d'or durant lesquelles, jour et nuit, toute la vie politique et administrative s'arrêtait pour faire place aux divertissements. Il n'est pas difficile d'imaginer qu'à la suite de cette brève période d'extrême licence, la population devait être passablement sombre comme l'est le caractère Saturne, inquiet et ténébreux.

C'est un être qui voudrait suspendre le cours du temps et qui reste attaché à son passé en ne cessant de penser ou de craindre l'avenir. Comme il n'est pas superficiel il a des difficultés à vivre dans le présent et il n'est pas influencé par l'actualité.

Saturne est un être exigeant tant du point de vue moral qu'intellectuel. Il ne peut supporter les affirmations sans preuve ni la fausse profondeur. Son esprit critique est aigu et il excelle donc dans les disciplines qui exigent un esprit scientifique. La forme de son esprit le conduit à toujours creuser davantage sa spécialité. S'il est d'intelligence quelconque, il risque d'être vétilleux et de se crisper sur des détails. S'il a une responsabilité hiérarchique il peut être tatillon surtout s'il manque de culture générale. S'il est exécutant, l'ampleur de vues lui fait défaut et il ne parvient à s'intéresser qu'à de petites choses.

Saturne étant une personne de convictions il peut finir par vénérer des idoles abstraites. Son attirance pour la pensée pure l'attire vers les métiers de recherches et, d'une façon générale, vers les occupations d'études et sédentaires. Les fonctions d'échanges lui sont totalement contraires.

Les démonstrations ostentatoires et les effusions à l'égard de personnes plus ou moins indifférentes auxquelles peut se livrer Jupiter sont aux antipodes de sa nature. Saturne a toujours tendance à verser dans l'hypocondrie. C'est un atrabilaire. Alceste donne de lui une idée assez juste :

« J'entre en une humeur noire, et un chagrin profond,
Quand je vois vivre entre eux les hommes comme ils font ;
Je ne trouve partout que lâche flatterie,
Qu'injustice, intérêt, trahison, fourberie ;
Je n'y puis plus tenir, j'enrage, et mon dessein
Est de rompre en visière à tout le genre humain »

Saturne est un idéaliste et un redresseur de torts ! Il évoque un peu le « Chevalier à la Triste Figure » de Cervantes. D'ailleurs, Don Quichotte a une forte touche saturnienne. Le saturne est l'ancien nom du plomb ; c'est un plomb qui peut se changer en or si on sait le comprendre car il est en effet dévoué avec les amis et très scrupuleux.

Si Saturne n'a qu'une fonction subalterne dans une entreprise et si son supérieur apprécie la cordialité et les plaisanteries salaces, l'avancement risque de se faire attendre. Saturne est en effet taciturne et la nature humaine est ainsi faite qu'elle se méfie des personnes qui ne parlent guère et donne sa confiance à celles qui paraissent se livrer. C'est absurde mais c'est ainsi ! Comme Saturne a toujours l'air énigmatique et semble porteur de lourds secrets, un Jupitérien très peu pénétrant se demande quels sombres desseins Saturne est en train d'ourdir contre lui. Lorsque des parents ont un fils Saturnien, ils feront bien de lui donner un métier très recherché car à notre époque où il faut être extraverti pour se faire des alliés, l'introversion de Saturne suscitera plus de méfiance que d'attirance. Son goût pour l'isolement peut le conduire à vouloir suivre une grande hygiène de vie et même une certaine ascèse. Il y a donc des Saturniens parmi les personnes religieuses par inclination ou vocation. Mais il peut y avoir des faux mystiques - pour qui le fait de manger du riz non décortiqué et d'apprendre l'esperanto en attendant que les peuples fraternisent - qui s'écartent de la société parce qu'ils ne parviennent pas à s'y adapter.

Pourtant, Saturne est l'ami fidèle et sûr qui peut faire preuve d'une constance infaillible dans ses sentiments. Ce qui est certain c'est qu'il en a la pudeur. Il contrôle son émotivité et sa sensibilité et ne se livre que devant une phalange très restreinte d'amis et de connaissances.
Cet aspect très discriminatoire de ses préférences lui interdit toute réussite dans une fonction commerciale. Saturne peut réussir dans un laboratoire ou dans une Administration. Il peut se complaire dans l'exégèse biblique ou se mouvoir avec délices dans le droit des successions. S'il est notaire il supportera mal qu'une femme vienne signer l'acquisition d'une propriété en n'étant vêtue que d'un costume de bain même si c'est en été et même si le caleçon est tout noir. Le lecteur ne sera donc pas surpris de découvrir les aspects classiques de l'écriture saturnienne.

L'écriture saturnienne
L'ordonnance de la page correspond au formalisme du personnage et donc à son respect des habitudes de société. La présentation est nette, méthodique et ordonnée.

La dimension est celle qui correspond à l'introversion des caractères,
c'est-à-dire petite ou moyenne. On observe souvent des majuscules imposantes et de dimension proportionnée par rapport aux autres lettres: c'est l'orgueil Saturnien. N'oublions pas qu'il se complaît dans une hautaine solitude!

La direction est très souvent verticale ou parfois renversée. C'est le goût de l'équité mais aussi la difficulté de la concertation. La verticalité révèle bien cette aversion du scripteur pour se pencher à droite ou à gauche et donc à écouter le voisin! Certes, il n'est pas influençable mais il y a un réel danger pour l'intelligence et l'équilibre affectif de Saturne à vouloir rester raide comme la Justice.

La pression est évidemment légère car Saturne est un nerveux froid. C'est un homme de pensée qui se réfugie dans la cérébralité et dont les plaisirs dominants ne sont ni la volupté, ni les mets exotiques puissamment épicés.

La continuité du graphisme est marquée par la fréquence de la liaison, ce qui est un indice de bonne mémoire et de capacité de logique. Si l'écriture est groupée, elle indique un adoucissement dans la rigidité doctrinale.

Comme Saturne est un être de réflexion, il n'est ni fougueux ni précipité. L'écriture est au plus accélérée mais souvent posée. Elle réalise un excellent compromis entre la réflexion pondérée et le passage à l'action efficace sans brusquerie ni impulsivité maladroites.
Mais la forme est ce qui est le plus intéressant à noter dans ce type d'écriture. Il va de soi que l'angle prévaut sur la courbe. Ce qui manque c'est avant tout la souplesse et l'élasticité. L'écriture de Saturne peut être cadencée, voire automatique et mécanisée. De toutes façons elle obéit à des normes que le scripteur est heureux d'observer.
Si l'ensemble n'est pas de bon niveau - absence de simplifications et de combinaisons - Saturne peut être routinier et étroit. En toute hypothèse, c'est un être fiable qui met sa fierté à arriver exactement à l'heure et qui n'est pas versatile. Son anxiété naturelle a du bon car elle est à l'origine de son sens du devoir.
Il ne faut tout de même pas attendre de lui qu'il se lance dans une création où il y a du risque et encore moins qu'il devienne l'apôtre d'une théorie originale... (fig. 98).

avec possibilité d'évolution
Je suis motivée par un poste qui implique de nombreux contacts par approche directe, un travail financier et administratif
Je désire travailler au sein d'une équipe dynamique, enthousiaste tout en gardant mon autonomie afin de promouvoir une gamme de produits sur un secteur géographique, négocier gérer et développer

Avec enthousiasme et confiance, je lirai tes conclusions, puis je t'espère traduirai un diagnostic similaire à celui réalisé il y a environ 3 ans. Je te le remettrai jeudi soir.
Dans la négative, nous pourrons alors engager une bataille d'experts en graphologie.

Fig. 98: Écritures Saturne.

Mercure

Ce personnage mythique fut toujours représenté avec des ailes au pied et un chapeau de voyage. Dieu du commerce et des voleurs il était le messager chargé de transmettre les messages de Jupiter. Si l'on ajoute que la planète Mercure est celle dont la vitesse de révolution sidérale est la plus élevée puisqu'elle fonce dans l'espace à 48 km à la seconde malgré son grand âge alors que la Terre n'en fait péniblement que 30 et qu'en outre l'ancien nom du mercure était le vif-argent le lecteur peut déjà avoir quelque idée de la personnalité dite mercurienne.

Son intelligence est vive et verbale. Il peut devenir avocat, reporter ou agent de liaison. C'est plus un intermédiaire qu'un créateur et il n'oublie jamais ses intérêts lorsque d'autres lui confient les leurs. Il sait se tirer d'affaire lorsqu'il est dans un mauvais pas. Il y a quelque chose du renard argenté en lui!

Que l'on se souvienne de la fable de La Fontaine « Le renard et le bouc ». Ce dernier s'entend dire :

« Tâche de t'en tirer et fais tous tes efforts ;
Car pour moi, j'ai certaine affaire
Qui ne me permet pas d'arrêter en chemin. » (!)

Quant à La Flèche - si bien nommé - il évoque bien une sorte d'Arlequin ; il est donc à plusieurs facettes, assez proche de Mercure. Voici ce qu'il dit au fils de son patron Harpagon :
« Je sais tirer adroitement mon épingle du jeu, et me démêler prudemment de toutes les galanteries qui sentent tant soit peu l'échelle ; mais, à vous dire vrai, il me donnerait, par ses procédés, des tentations de le voler ; et je croirais, en le volant, faire une action méritoire. »

Le Mercure romain avait pour équivalent le personnage d'Hermès chez les Grecs qui lui aussi avait des sandales ailées pour lui permettre des déplacements rapides ! Il était le dieu des voyages et le messager par excellence. Le lecteur n'aura donc aucune difficulté à comprendre que Mercure est adaptable et souple avec tout ce que cela implique d'impureté dans le cœur et l'esprit. Il a même un brin de scélératesse comme il sied à celui qui tient à se faufiler à travers tous les milieux.

Mercure n'a guère l'esprit d'équipe. La solidarité n'est pas son principal souci et il n'aime pas s'imposer des contraintes. Il ne tient pas non plus à respecter toutes les formes de discipline. C'est un franc-tireur et un être très personnel. Il y a de l'imprudence à lui accorder une confiance totale car il se dérobe aux responsabilités et aux risques. Comme il est fragile psychiquement - c'est un nerveux - il n'a pas assez de force morale pour rester ferme dans l'adversité quoi qu'il arrive.

Ce n'est pas un personnage qui établit des plans et qui suit rigoureusement un fil directeur et un plan d'action. Il est plu-

tôt empirique et improvisateur.
Son côté constructif prend l'aspect didactique car Mercure est un éveilleur d'esprit. Sa propre alacrité est contagieuse et il sait provoquer un déclic d'esprit critique chez ses interlocuteurs. Mercure est sagace et pénétrant mais il a du mal à résister à la tentation du brocard. Sa forme d'esprit l'y incite.
Mercure n'est pas un être de conviction idéologique. Ce n'est pas lui qui deviendra fanatique. S'il est philosophe il est tenté par le pyrrhonisme.

L 'écriture mercurienne
Cherchons donc à dégager les aspects essentiels de l'écriture mercurienne, étant entendu encore une fois que tout personnage est toujours la résultante d'un mélange. Si Mercure est fortement influencé par la présence de Vénus, son quelque peu différent et encore davantage s'il est associé à Soleil.

L'ordonnance de l'ensemble révèle d'emblée que Mercure se laisse aller à sa fantaisie et n'entend pas obéir à des normes trop contraignantes. La marge arrière - ou de gauche - ne semble pas vouloir suivre la verticale et l'ensemble du graphisme est coulant et même impatient.

La dimension des lettres est petite. Les jambages sont atrophiés mais les hampes peuvent être hypertrophiées. Le corps médian est mesquin.

La direction des lignes est droite ou inclinée mais avant tout légèrement sautillante et sinueuse. Nous retrouvons le personnage aux jambes munies de petites ailes!

La forme est multiple et donc irrégulière et marquée par des traits curvilignes.

La vitesse est accélérée à rapide avec des anomalies dans le mouvement d'allure. Le « tempo » de l'écriture mercurienne n'a que faire du métronome! Rien d'étonnant donc à ce que la continuité soit altérée. L'écriture de Mercure est très souvent liée et parfois hyper-liée, ce qui indique un certain penchant pour les raisonnements spécieux.

Enfin, Mercure étant un être vif et difficile à saisir, sa pression est légère. Il ne s'enracine pas dans un lieu ni ne s'accroche à une idée. Il virevolte et saute d'une idée à l'autre quand ce n'est pas d'un sentiment à une intention (fig. 99).

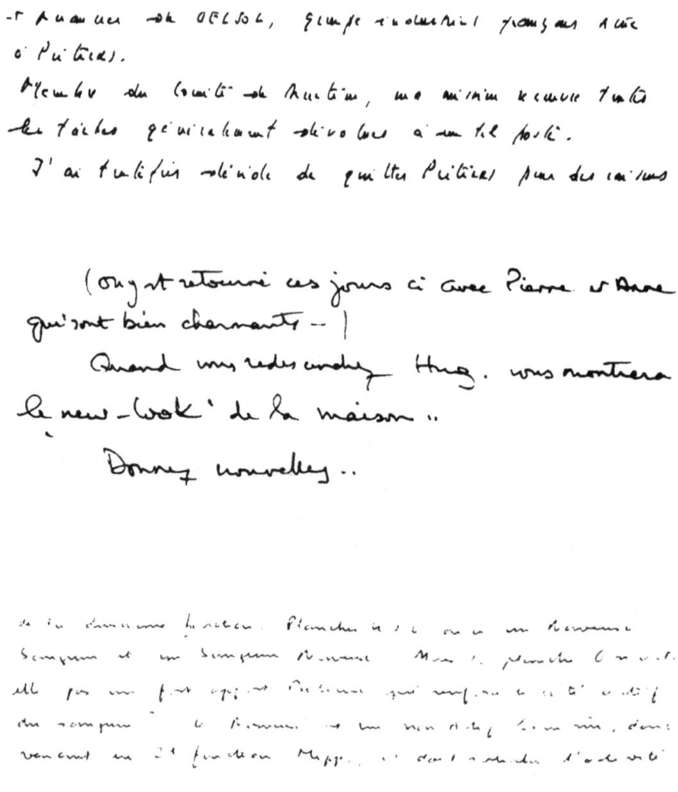

Fig. 99: Écritures Mercure.

Uranus

C'est peut-être une extravagance de l'esprit mais il est difficile de ne pas faire de rapprochements entre la découverte de certaines planètes et l'orientation de l'humanité qui l'a suivie. Nous verrons les réflexions que nous inspire Pluton à ce sujet...

Uranus fut découverte à la fin du XVIIIe siècle comme l'uranium. Les deux mots ont la même origine et nul ne peut contester l'importance de cette dernière trouvaille plus ou moins bénéfique pour le genre humain.

Or, voici ce que disent les remarquables auteurs Jean Chevalier et Alain Gheerbrant dans leur Dictionnaire des Symboles (Éditions Robert Laffont/Jupiter): « L'esprit nouveau qui souffle depuis deux siècles sur l'humanité provient principalement de cet astre, qui est aux yeux de l'astrologie le vrai créateur du monde moderne, fondé sur les principes de la Révolution Française au plan social, et sur le machinisme et l'industrialisation dans la sphère du travail. Son domicile est le Verseau qu'il partage avec Saturne. Uranus était, au moment de sa découverte dans les Gémeaux, le signe zodiacal qui gouverne les États-Unis; la civilisation de ce pays, en bien comme en mal, est la manifestation la plus parfaite à ce jour de l'influx uranien.

On peut dire qu'Uranus a quelque chose de Prométhéen en ce sens qu'il cherche à rompre avec tout conformisme et essaie de se dépasser. Mais si nous parlons de conformisme il est utile de s'y arrêter un instant. Presque tout le monde voit du non-conformisme dans les poncifs éculés contre la religion ou dans les classiques dénigrements contre la bourgeoisie. Malheureusement, c'est chez les colporteurs de ces vieilles litanies que l'on trouve les esprits les plus soumis aux idées à la mode depuis plusieurs générations.

C'est pourquoi le caractère Uranus peut être un révolté mais non point anachronique. S'il est vrai que Voltaire - dont le pseudonyme est probablement l'anagramme de révolté - avait quelque raison de pourfendre certaines pratiques il reste que de nos jours les motifs de mécontentement ont changé de nature.

Les adeptes de Freud ou de Marx sont empêtrés dans des préjugés quasiment dogmatiques. On voit mal comment un Uranus intelligent et critique n'aurait pas envie de les combattre étant donné les découvertes scientifiques bien postérieures à ces affirmations.

C'est pourquoi il est possible de déceler le type de caractère Uranus aussi bien chez ceux qui luttent pour revenir à des traditions bafouées ou pour retrouver des vérités perdues que chez les asociaux qui recherchent une indépendance illusoire ou rêvent de créer une philosophie nouvelle. Cette seule disposition de caractère donne déjà un cœur tourmenté et passionné et entraîne des difficultés pour la bonne insertion dans la société. Uranus est un individualiste exacerbé chez qui l'on décèle un orgueil très prononcé. C'est un insurgé romantique dont l'esprit aigu et inventif fouaille sans merci tout ce qui lui apparaît comme faux ou statique. C'est un iconoclaste pas nécessairement destructeur. D'ailleurs Uranus est trop avisé - s'il a quelque culture et intelligence - pour se contenter de proférer des imprécations ou lancer des diatribes. Son esprit rigoureux et exigeant l'incite à créer ou à inventer des procédés, des méthodes ou des systèmes. J.-J. Rousseau a du Saturne mais il a aussi de l'Uranus par ses tendances paranoïaques de persécuté anarchisant. Il a mélangé des vérités profondes et des sophismes pervers. Son attitude n'a été qu'un défi permanent au monde dans lequel il a vécu. Ecoutez plutôt ces quelques lignes par lesquelles commencent ses Confessions: « Je forme une entreprise qui n'eut jamais d'exemple et dont l'exécution n'aura point d'imitateur. Je veux montrer à mes semblables un homme dans toute la vérité de la nature et cet homme ce sera moi... » Quoi d'étonnant à ce qui l'écriture uranienne soit originale et fière !

L'écriture uranienne

L'ordonnance d'Uranus ne peut être strictement conforme aux normes scolaires. Ou bien l'écriture envahit toute la page ou bien le texte apparaît comme une oasis au milieu du désert. Uranus s'isole orgueilleusement ou bien il prêche pour convaincre ses prétendus adversaires.

La direction des lignes est ascendante parfois mais verticale souvent. Cet aspect est renforcé par le fait que les lettres ont des hampes élevées. Le tout paraît se diriger vers le Ciel alors que l'écriture neptunienne se développe dans le sens horizontal.

La dimension des lettres se ressent de la forte émotivité du scripteur en étant inégale. La grandeur ou la petitesse ne soit pas ici un critère d'identification.

C'est la forme qui est le genre le plus révélateur d'Uranus. Disons d'abord qu'elle est marquée d'un cachet très personnel et reconnaissable entre toutes. Les lettres peuvent être très simplifiées. L'angle domine et beaucoup de traits finaux sont acérés. Les barres de t sont lancées. Si les lettres ne sont pas simplifiées, il peut y avoir de l'affectation par l'originalité des formes. C'est le besoin de se faire remarquer et de se distinguer du commun des mortels. Mais cette affectation ne se traduit pas par une sorte de dessin des lettres - comme on peut le voir dans des écritures artificielles - par la prédominance de la forme. Uranus a un graphisme qui n'est pas statique ; il est fiévreux, électrique et plein de passion contenue.

L'esprit vif et le sens critique aigu donnent à Uranus une écriture accélérée ou rapide. Elle peut même être précipitée tant le scripteur est impatient de démontrer la force de ses arguments. Le graphisme uranien est le contraire d'une nappe d'eau tranquille; c'est un ruisseau autrichien poussé par le vent d'Est ou un lac agité.

Quant à la continuité elle est singulièrement chaotique. Il y a des arythmies de direction ou d'espace. Les mots peuvent être serrés ou espacés. Si l'écriture est supérieure, les combinaisons sont très adroites et ingénieuses et l'angle alterne avec la courbe.

Le scripteur étant une personne qui cherche toujours à se dépasser, la pression est forte ou même rageuse. Les traits sont sans bavures, secs et tranchants (fig. 100).

Fig. 100: Écriture Uranus et écriture Uranus-Soleil-Mars.
Remarquez le x ligne 9 et le s ligne il dirigés vers le Sud-Ouest: signes de ressentiment

Pluton

Cette planète fut découverte en 1930, donc tout récemment. C'est de son nom que vient la désignation du métal dit plutonium dont une dose infinitésimale suffit pour être mortelle (notre époque en connaît les méfaits!). Quant au dieu des enfers dénommée Pluton - ou Hadès - il reçut en partage l'empire des ombres selon la mythologie grecque. Le nom de Pluton signifie: qui s'enrichit notamment à partir des recherches souterraines.

Il est donc naturel que ce prince des ténèbres qu'est Pluton passe pour le symbole des profondeurs, aussi bien celles de notre âme que celles de toute matière vivante telle que la cellule.

Inutile de dire que ce ne sont pas les idées de fraîcheur, de pureté et d'innocence qui doivent venir à l'esprit du graphologue en présence d'une écriture plutonienne.

Le personnage de Balzac dénommé Balthazar dans la Recherche de l'absolu donne une idée du caractère plutonien. C'est l'histoire d'une sorte de vieux sorcier alchimiste qui dit avec fierté à sa femme: « J'ai combiné le chlore et l'azote, j'ai découpé plusieurs corps jusqu'ici considérés comme simples, j'ai trouvé de nouveaux métaux. Tiens, dit-il en voyant les pleurs de sa femme, j'ai décomposé les larmes. Les larmes contiennent un peu de phosphate de chaux, de chlorure de sodium, du mucus et de l'eau. » L'œuvre de Racine donne aussi une excellente idée de ce qu'est le caractère plutonien. La passion et la mort y sont bien souvent associées. Qui ne se souvient du songe d'Athalie? - dont les paroles font se tordre les potaches:

« Son ombre vers mon lit a paru se baisser;
Et moi je lui tendais les mains pour l'embrasser;
Mais je n'ai plus trouvé qu'un horrible mélange
D'os et de chairs meurtris, et traînés dans la fange,
Des lambeaux pleins de sang, et des membres affreux
Que des chiens dévorants se disputaient entre eux… »

Dans le domaine de la peinture, Goya est un bon représentant de l'état d'esprit plutonien, tout au moins dans certaines toiles. Au musée de Lille se trouve un tableau dénommé « Les vieilles » qui représente deux femmes âgées et outrageusement fardées, chargées de bijoux et vêtues comme pour aller au bal mais toutes deux d'une laideur à faire fuir. Quant aux tableaux de Goya représentant la famille royale, ils sont autant de pamphlets tant ils mettent en évidence l'absence totale d'expression du regard royal. Ces quelques exemples suffisent à bien montrer au lecteur qu'il y a quelque chose de satanique et de sarcastique dans l'esprit plutonien, mais quelles que soient les formes qu'il prend, l'observateur retrouve toujours cette propension plus ou moins saine à vouloir découvrir des mystères et à fouiller dans tous les lieux où l'on a quelque chance de faire des découvertes fangeuses.

Sigmund Freud appartient à Pluton. On sait qu'il consomma de la cocaïne et ne se cacha point de ses tendances incestueuses sans parler d'autres penchants qu'il finit par attribuer à tout le monde. Il a inspiré le goût du morbide à des personnes qui ne demandaient pas mieux d'ailleurs et à déployer tous ses efforts pour déceler tout ce que nos consciences peuvent avoir de malsain. Il fait penser à ces médecins qui se spécialisent dans l'observation des parasites d'excréments. Le danger est le même que pour Freud : il y a un risque à voir des tas de choses qui n'y sont pas.

Marcel Proust aussi représente bien l'esprit plutonien. Son œuvre dégage une sagacité psychologique indéniable mais elle sent le soufre. Il est vrai que le diable est tapi aussi bien sous l'édredon des individus qui n'aiment pas la chair de la femme que sous celui de ceux qui l'aiment trop. Baudelaire, par exemple, qui se complaisait à fréquenter les prostituées, est lui aussi Plutonien ! Madame Sylvie Borie, dans son excellent brochure cite deux vers de lui particulièrement révélateurs :

« Lorsque tu dormiras, ma belle ténébreuse
Au fond d'un monument construit en marbre noir… »

L'intelligence d'un personnage Plutonien est donc orientée vers la découverte de ce qui est occulté. Il aime le mystère, les choses cachées et éventuellement le macabre ou le surprenant. Si le cœur est orienté vers le bien, cette forme d'esprit appartient à des chercheurs tels que des chimistes ou des généticiens.
Notre lecteur se souvient de ce que nous avons écrit à propos de l'époque qui a suivi la découverte d'Uranus. Il suffit de transposer cette réflexion sur Pluton car notre époque est très marquée par cette influence. La biologie n'est-elle pas la science la plus remarquable de nos jours? Depuis la découverte du microscope électronique, les progrès dans la connaissance de l'infiniment petit sont immenses et l'on peut dire que les investigations à l'intérieur des gênes et des chromosomes vont bouleverser la médecine. Par ailleurs, comment ne pas voir la marque de l'esprit plutonien dans la connaissance des protons et des neutrons si au contraire le Plutonien a quelque chose de diabolique il risque de mettre ses talents et ses connaissances au service du mal.

L'écriture de Pluton
Le graphisme de ce type de personnages présente donc des particularités facilement décelables. L'écriture de Pluton fait penser à un marécage ou à une mare statique et noire.

L'ordonnance est comme le personnage: tourmentée et sans souci d'harmonie ou de beauté!

La direction est souvent droite, sans vrai mouvement. Si elle est penchée à droite on retrouve une absence de netteté dans les traits.

La dimension est très variable. Nous voulons dire non pas qu'elle a des irrégularités chez ce type de scripteur mais qu'elle peut être grande, moyenne ou petite. La dimension n'est donc pas ce qui détermine une écriture plutonienne.

Une fois de plus, c'est la forme qui nous aide à assurer notre jugement. Notons d'abord la présence des spirales ou des torsions. Elles symbolisent bien l'absence de sérénité du cœur plutonien.

La pression n'est pas ferme mais visqueuse ou gluante.

Quant à la vitesse elle est souvent posée ou accélérée. L'écriture de Pluton n'est ni coulante ni claire mais fangeuse et sans aucune vivacité.

C'est pourquoi la continuité est altérée par des sortes de taches, d'engorgements, de ratures, de pochages tout à fait disgracieux.

Toutefois, ce tableau un peu sombre ne doit pas faire oublier que Pluton peut posséder une personnalité particulièrement perspicace. Sa pénétration psychologique peut faire merveille dans certaines professions telles que romancier, psychologue, policier ou médecin.
C'est un caractère radicalement différent de celui de Lune ou de Vénus (fig. 101).

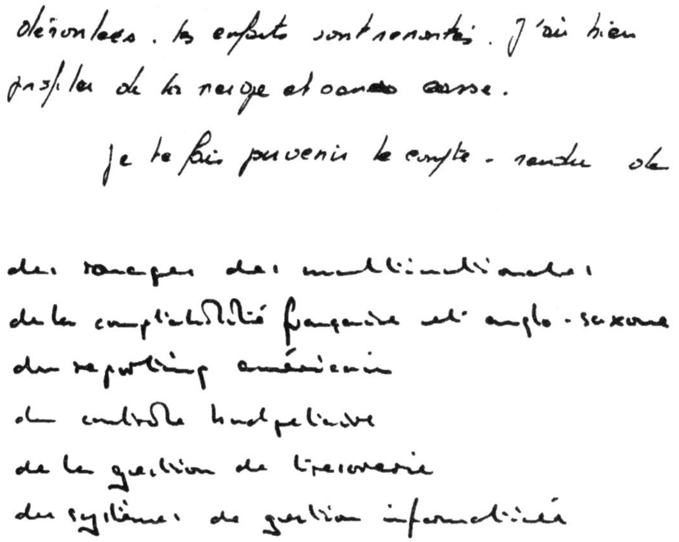

Fig. 101 Écritures Pluton.

Mars

Tout le monde sait que c'est le dieu de la guerre chez les Romains. On connaît moins que la mythologie en fit le fils de Jupiter, ce qui n'a rien d'étonnant car ces dieux sont tous deux combatifs.

Précisons tout de suite que si le graphologue attribue le mérite de la pugnacité à un scripteur, c'est une observation qui n'a de valeur que si le champ d'application des luttes est précisé. Chacun de nous a pu observer que l'on peut être lutteur dans certains domaines et pas du tout dans d'autres. Il y a les gens de plume - que l'on devrait dénommer maintenant gens de bille - tels que les polémistes de la Presse et aussi les gens d'épée. Le courage d'un militaire n'est pas de même nature que celui d'un banquier qui prend des risques terribles pour l'argent des autres. Quant au courage tranquille de celui ou celle qui exécute des travaux fastidieux pendant des années

sans se plaindre en tendant le dos et en avançant même sous les coups, il a sa grandeur. Une certaine soumission à son destin et la fermeté dans les infortunes sont certainement une forme de courage. Le stoïcisme n'est pas une simple résignation.
Il est possible de déceler la nature de toutes ces vaillances en examinant les écritures. Elles sont différentes mais contiennent des aspects communs.

La présence des angles

Citons d'abord la présence des angles. Le lecteur sait que c'est un signe de volonté, de fermeté à l'égard de soi-même ou des autres. L'angle est aussi révélateur du peu de penchant pour les concessions mais peut-on imaginer un soldat enclin à la négociation? Même dans le cas où il s'agit d'un scripteur volontaire et peu pressé d'aller sur le pré ou à en découdre sur le terrain, le graphologue découvrira des angles aigus et des signes cruciformes.

La croix

Certes, la croix a un sens bien plus profond que la tendance à la pugnacité! Le trait vertical contient les aspirations éventuellement spirituelles et le trait horizontal la volonté de s'insérer dans les activités d'ici bas. Les signatures qui se terminent par un croisement de ce type révèlent bien une contradiction chez le scripteur. Il y a chez lui un conflit entre l'ambition et certaines exigences morales qu'il s'impose. Mais cette interprétation de la croix n'infirme en rien le diagnostic de pugnacité qu'il convient d'attribuer aux graphismes dans lesquels les barres de t forment une croix avec la hampe, surtout si le trait est lancé. Mars va de l'avant et l'on n'imagine pas un être combatif qui soit statique.

L'ordonnance de la page

C'est pourquoi l'ordonnance de la page présente la particularité suivante: la marge de droite est très réduite. Il n'est peut-être pas inutile de redire que la distance qu'un scripteur prend par rapport au bord droit de la feuille est un indice de prudence, voire de pusillanimité. Aller vers la droite, c'est aller vers la vie et ne pas la craindre. Si la marge de droite est réduite, le scripteur a confiance en lui-même et ne craint pas les aléas de son propre avenir. C'est le cas de Mars.

Cette écriture très dextrogyre est plus ou moins inclinée et chargée de mouvement. C'est alors que le graphologue doit interpréter cet aspect comme l'indice d'un courage d'homme d'action. L'écriture verticale et ferme fera plutôt penser à l'énergie de l'homme de pouvoir et l'homme de volonté. Il peut s'agir d'un caractère dépourvu de toute influençabilité mais aussi de rigidité d'attitude. Si la direction est montante ou grimpante, la combativité du scripteur est associée à une certaine exaltation qui peut aboutir à une fougue maladroite.

La pression

Le lecteur n'aura pas de difficulté à admettre que la pression de Mars ne peut être que ferme et appuyée.
Si l'écriture est nette c'est que le scripteur a tendance à exercer sa volonté sur lui-même.

La vitesse

Même dans ce dernier cas où l'on aurait affaire à un être musculaire (selon la typologie du Dr Sigaud), c'est-à-dire disposé à s'imposer des contraintes et des disciplines de tous genres, la vitesse ne saurait être qu'accélérée ou rapide. Puisque Mars est belliqueux d'une façon ou d'une autre il ne peut pas être lent ou posé. Même un militaire d'état-major doit prendre des décisions rapides!
L'écriture Martienne n'est pas de celle qui révèle la tendance à la contemplation ou à la rêverie. C'est pourquoi les impulsivités de ceux ou celles qui appartiennent à ce camp sont génératrices de gaffes singulières. Même si l'action est discontinue, l'écriture de Mars est souvent liée parce qu'elle témoigne

d'une certaine fièvre impatiente. La continuité de ces écritures inspire donc la réflexion suivante : qu'elles soient groupées ou non, c'est-à-dire qu'il y ait ou non un temps pour imaginer les résultats de l'action, l'aspect n'est jamais celui d'un graphisme placide et régulier.

La forme

Quant à la forme, elle se distingue par un ensemble de signes plus ou moins agressifs : les finales sont acérées ou massuées, les barres de t sont lancées, les traits de flexion, donc du haut vers le bas ressemblent à des poignards ou à des épées, la signature se termine par une sorte de dard plus ou moins long (fig. 102).

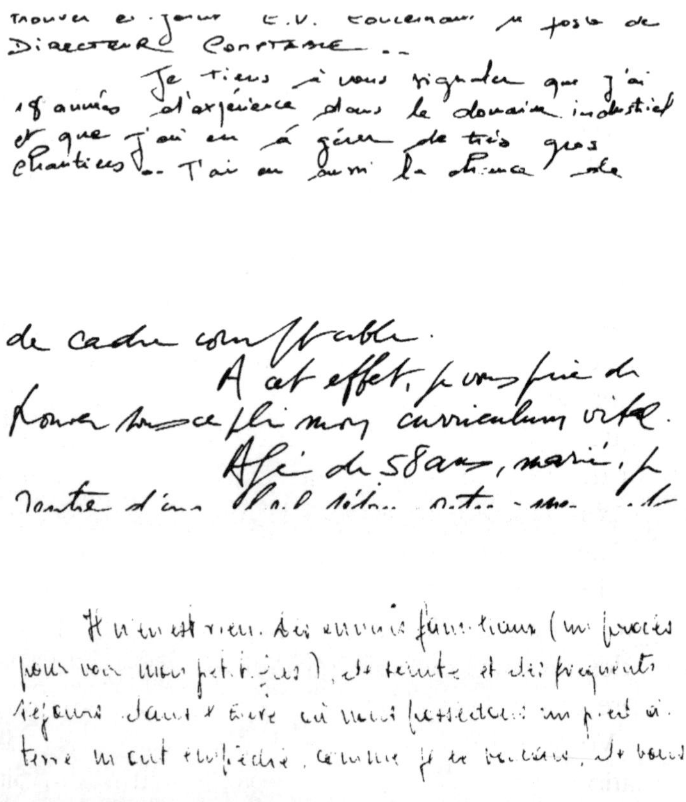

Fig. 102: Écritures Mars.

Les écritures mixtes

Le lecteur aura remarqué que nous avons insisté à diverses reprises sur le fait qu'aucun être n'est déterminé exclusivement à partir d'un symbole planétaire unique. Quelle que soit la typologie adoptée, chacun d'entre nous paie un tribut à un dosage. Il n'y a pas de Jupiter totalement exempt de toute autre influence ni aucun autre être symbolique. Il faut s'en réjouir car les mélanges tempèrent ce que leur absence pourrait engendrer d'excessif.

Il est donc bien entendu que toute personne connaît des ambivalences et des contradictions. Certains psychologues y voient même un indice de richesse. Il est d'autres esprits qui y décèlent une incapacité à faire l'unité intérieure, seule source d'équilibre. Si l'on est tiraillé vers des tendances contraires, il est bien difficile de faire des choix. Lorsque l'on dit d'un chef - quel qu'il soit - qu'il est déchiré, on lui fait le plus grand reproche possible car un responsable doit savoir ce qu'il veut et s'y tenir.

La dominante

Pour en revenir à la mixité des écritures, le premier talent du graphologue consiste à découvrir la dominante. Si nous avons tenu à donner des idées nettes sur chaque type planétaire c'est pour que le lecteur ait des certitudes et des moyens simples pour déceler cette dominante. Que serait-il advenu si nous avions commencé par indiquer la multiplicité des combinaisons? D'ailleurs, comment ne pas voir qu'à partir de ces 11 planètes, le nombre de mélanges possibles atteint un nombre qui donne le vertige? L'important est d'avoir conscience des rapprochements fréquents et vraisemblables et plus encore des incompatibilités. Il est vrai que l'on peut être Jupiter - Vénus ou Vénus - Lune. Il n'est pas faux de dire que l'association Terre - Saturne est possible ou que Jupiter voisine fréquemment avec Mars comme d'ailleurs Uranus.

Mais quelle que soit l'importance donnée à cette fameuse parole selon laquelle « l'homme est un être ondoyant et divers » il y a tout de même des rapprochements qui n'ont pas de sens. Comment peut-on être Mars - Lune? Comment serait-on Saturne - Jupiter? L'un est un être cordial - comme son nom l'indique - et l'autre est un ténébreux! Enfin, imagine-t-on que l'on soit Neptune - Uranus? Croit-on vraiment qu'un écrivain de génie tel que Balzac aurait montré des actes de générosité chez le Père Grandet? Existe-t-il un seul moment où Harpagon a l'intention de dilapider son argent? Lorsqu'un homme est dévoré par une passion, il lui subordonne tout!

Le graphologue doit donc se méfier comme de la peste d'un travers dans lequel nous tombons tous de temps en temps: infléchir nos affirmations par d'autres qui leur sont contraires. Les chefs d'entreprise qui confient des analyses en vue du recrutement, détestent cette façon trop prudente de décrire les caractères. Ils y voient une prudence destinée à se prémunir contre les reproches « a posteriori »! En réalité un individu ne peut pas ressembler à son contraire. Si à l'occasion d'une analyse pour une embauche, le graphologue dit du candidat Primus qu'il est combatif mais indolent et donc qu'il vaudrait mieux engager Secundus parce qu'il est indolent mais combatif, le recruteur qui reçoit ce genre d'affirmations a le sentiment que l'on se moque de lui.

Nous avons donc tous des dispositions majeures que la typologie planétaire aide à déceler. Elles sont associées à d'autres plus ou moins prononcées mais il y a des voisinages insensés. Un homme ne peut pas être travailleur et paresseux; s'il a des préoccupations d'esthétique il n'a pas en même temps des goûts vulgaires!